Чингиз АБДУЛЛАЕВ

СЕМЕЙНЫЕ ТАЙНЫ

ЭКСМО

МОСКВА

УДК 82-3
ББК 84(2Рос-Рус)6-4
А 13

Оформление серии *А. Саукова*

Абдуллаев Ч. А.

А 13   Семейные тайны : роман / Чингиз Абдуллаев. — М. : Эксмо, 2012. — 320 с. — (Мастер криминальных тайн).

ISBN 978-5-699-59908-0

Молодая немка Эмма Вихерт пригласила знаменитого сыщика Дронго в Потсдам на юбилей своей пожилой родственницы. Эмма знакома с Дронго уже много лет и прекрасно осведомлена о его уникальных способностях. Именно потому она больше других была заинтересована в том, чтобы международный эксперт присутствовал на юбилее. Как говорится, на всякий пожарный. Потому как женская интуиция подсказывала Эмме, что на банкете может произойти нечто из ряда вон выходящее. И молодая женщина не ошиблась — в самый разгар застолья виновница торжества Марта была отравлена смертоносным ядом. Дронго немедленно приступает к расследованию и сразу понимает, что убийца... ошибся.

УДК 82-3
ББК 84(2Рос-Рус)6-4

ISBN 978-5-699-59908-0

Глава 1

Дронго шел по улице, направляясь к своему отелю. Накрапывал дождик. Ему всегда нравился дождь. Возможно, потому, что в его родном городе дожди были не столь частым явлением. Он помнил тропические ливни на экваторе, в сельве или в тропиках. А это был мелкий интеллигентный немецкий дождь, почти незаметный, даже если долго стоять под распахнутым небом. Но прохожие привычно ускоряли шаги, доставали зонтики, торопились в свои машины или под защиту соседних домов. А Дронго продолжал так же спокойно идти дальше, словно на прогулке, не обращая внимания на этот мелкий дождь. Он даже не поднимал воротника своего плаща, словно привык гулять именно под таким дождем в этом небольшом немецком городе. Мимо прошла женщина, закрывавшаяся от дождя темным зонтиком. Дронго посторонился, пропуская ее, когда она чуть подняла голову и неожиданно остановилась. Он непроизвольно ускорил шаг.

— Дронго? — услышал он уже за спиной голос.

Можно было сделать еще несколько шагов и завернуть за угол, но он остановился и оглянулся. Он мучительно пытался вспомнить, где именно он мог видеть эту незнакомку. Обычно не подводившая память на этот раз не давала никакой подсказки. Она отказывалась повиноваться. Значит, он никогда не видел этой женщины. Но она назвала его прозвище.

— Простите, — сказал он по-английски, — я не владею немецким. В конце концов, слово «Дронго» на всех языках звучит одинаково.

— Ничего страшного, — улыбнулась незнакомка, — я говорю по-русски. Вы ведь знаете этот язык?

— Конечно. Простите, я не могу вас вспомнить...

— И не пытайтесь. Вы меня не вспомните. Десять лет назад я была в Астане, когда вы приезжали туда и встречались с Муканом Бадыровым. Мне было тогда немногим больше девятнадцати.

Я дружила с его младшей сестрой. Мы вместе учились. И однажды, когда мы были в кафе, вы зашли туда вместе с ее старшим братом. Он нас и познакомил. А потом его сестра целый год рассказывала мне о том, какой вы интересный человек и какой удивительный сыщик. Там была какая-то загадочная история, о которой она так и не смогла мне все рассказать. Что-то очень секретное и непонятное. Но самое поразительное, что мы, выйдя из кафе, сфотографировались. В последнее время я часто смотрю на эту фотографию.

— Вместе со мной? — не поверил Дронго. — Я обычно не фотографируюсь.

— Не с вами, — снова улыбнулась женщина. — Мы сфотографировались с подругой, а вы сидели с Муканом за столиком в кафе. В этот момент нас осветило солнце, и вы случайно оказались на фотографии за стеклом. Я столько раз видела ваше лицо, что поневоле его запомнила. К тому же у вас с Муканом были романтические профессии. Сыщиков...

На этот раз улыбнулся Дронго.

— Теперь вспоминаю. Я еще тогда подумал, что могу оказаться на фотографии за стеклом, но не думал, что снимок получится четким. Обычно я сажусь в глубине зала, чтобы не попасть в такое глупое положение, но вы тогда сидели за столиком недалеко от входа, и нам пришлось разместиться за другим столом. Вы еще куда-то торопились.

— Неужели вспомнили? — поразилась женщина. — Прошло столько лет. Мы торопились на семинар. Ой, кажется дождь усиливается! Может, нам лучше где-нибудь его переждать?

— Рядом есть кафе, — показал Дронго на соседнее здание, — только на этот раз сядем подальше от входа.

— Обязательно, — согласилась женщина.

Дождь усиливался, и они побежали в кафе. За столиком в глубине зала женщина сложила зонтик, сняла свой тренч и вместе с зонтом повесила его на вешалку. Дронго снял плащ и уселся напротив. К ним подошла официантка.

— Кофе эспрессо, — попросила незнакомка. — А вам?

— Чай, — ответил Дронго.

Официантка, кивнув, отошла.

— Давайте познакомимся, — предложила женщина. — Эмма Вихерт, по мужу Эмма Буземан.

— Меня обычно называют Дронго, — пробормотал он привычную фразу, — хотя об этом вы, кажется, знаете.

Ей было около тридцати. Рыжеволосая, с немного вытянутым носом, острыми чертами лица, большими зелеными глазами, которые сразу запоминались. Дронго еще в тот раз, когда увидел ее впервые, подумал, что эта девочка обещает вырасти в настоящую красавицу. Десять лет назад глаза были гораздо меньше, не было намечавшихся складок у губ, такого пристального, внимательного взгляда. И тогда она не называла своей фамилии. Просто сказала, что ее зовут Эмма.

— Я уже тогда понял, что вы не казашка, — сказал Дронго, — но я думал, что вы еврейка или украинка.

— Немка, — пояснила Эмма. — В Казахстане после войны оказалось много немцев. Это были не столько пленные, сколько выселенные из Поволжья немцы, высланные туда целыми семьями. Моего деда переселили туда с четырьмя детьми. Дед был коммунистом, но это не помешало Советской власти отправить его со всей семьей в Северный Казахстан. Мой отец был младшим сыном. Кстати, насчет украинки вы правы. Моя мама наполовину украинка. И наполовину русская. Собственно, именно поэтому мы остались в Казахстане, когда в девяностые многие этнические немцы покидали республику, переезжая в объединенную Германию.

— А вы остались в Казахстане? — понял Дронго.

— Остались. Я и моя старшая сестра. Но через два года тяжело заболела мама, и мы решили, что нам все же лучше переехать в Германию. К тому времени мы обе уже получили высшее образование и решили, что так будет лучше. Поэтому и переехали сначала в Ганновер, а потом в Кельн. Маму, правда, мы не спасли, она умерла через год после нашего переезда.

— И вы вышли замуж, — предположил Дронго.

— Только пять лет назад, — пояснила Эмма.

— И уже успели разойтись. — Он не спрашивал, а утверждал.

Она удивленно взглянула на него.

— Я сказала, что по мужу я Эмма Буземан, но не сказала, что развелась.

— Это мое предположение. Переезжающие в Германию бывшие советские граждане пытаются соответствовать местным традициям, ничем не выделяясь от остальных немцев. Поэтому многие отдают дань традиционным семейным ценностям и носят обручальные кольца. У вас такого кольца уже нет. Вы окликнули незнакомого мужчину, которого видели десять лет назад. Не думаю, что вы меня могли так хорошо запомнить, даже если сестра Мукана столь восторженно обо мне говорила. В студенческие годы такие вещи быстро забываются. Но вы сказали, что в последнее время довольно часто смотрите на эту фотографию. Это не обычная ностальгия, а некое разочарование вашим браком, когда подсознательно вы вспоминаете лучшие годы, проведенные в Казахстане. Я не прав?

— Правы, — вздохнула Эмма, — я не забыла, что вы сыщик.

— И еще один фактор, — продолжал Дронго. — Вы не хотите, чтобы кто-то узнал о ваших семейных проблемах. Поэтому подсознательно, представляясь, сначала назвали свою девичью фамилию, а затем сообщили мне вашу нынешнюю фамилию по мужу. Вот я и сказал, что вы успели разойтись, а не развестись. Очевидно, вы еще находитесь в стадии этого мучительного процесса.

— Все правильно, — согласилась Эмма, — наш судебный процесс еще не завершен. К сожалению, мои иллюзии быстро закончились. Слишком явное несовпадение наших взглядов. Наверно, мне следовало подумать об этом прежде, чем выходить замуж. Он вырос в Германии, а я сначала в бывшем СССР, а потом в независимом Казахстане, который в первые десять лет был типичным осколком бывшего Советского Союза. Сейчас, говорят, там тоже многое изменилось.

— Эпоха перемен, — напомнил Дронго. — Вам еще отчасти повезло. Когда происходили все эти потрясения, вы были маленькой девочкой. Сколько вам было лет в девяносто первом году?

11

— Девять, — засмеялась Эмма. — Здесь вы тоже правы. Я не совсем понимала, что происходит. Потом, уже в университете, начала осознавать, что именно произошло. Что мы потеряли в результате всех этих потрясений. Собственно, когда мама заболела, мы уже внутренне были готовы к отъезду.

— И тогда решили переехать в Германию?

— Да. К этому времени почти все наши немецкие родственники уже давно перебрались в различные немецкие города и сумели неплохо адаптироваться. Здесь вообще много русских, я имею в виду даже не этнических русских, а всех, кто приехал сюда из бывшего Союза. Это не только этнические немцы, но и русские, украинцы, прибалты, кавказцы. Всех называют «русскими». Есть много евреев, которые приезжают по особой программе, ведь немцы до сих пор чувствуют свою ответственность за ужасные события, которые произошли здесь в тридцатые- сороковые годы прошлого века.

— Это я знаю, — кивнул Дронго. — Обычно, когда меня спрашивают, говорю ли я на немецком, я отвечаю, что знаю два первых языка Германии и третий знать мне совсем не обязательно.

— Два первых языка? — заинтересовалась Эмма. — Ах да, конечно. Русский и...

— Турецкий, — пояснил Дронго. — Когда гуляешь по улицам немецких городов, слышны разговоры только на этих двух языках. Говорят, что в Германии живут три миллиона турок и еще больше выходцев из бывшего Союза.

Эмма беззвучно рассмеялась. Официантка принесла ее кофе и его чай.

— Это правда, — подтвердила женщина. — Немцы с удовольствием принимали всех, кто хотел сюда приехать. Но я думаю, что эта практика уже закончилась. Теперь они встревожены подобным наплывом иммигрантов из стран Восточной Европы и Азии. И уже думают о том, как решительно сократить этот поток. Я слышала, что недавно даже принят закон, разрешающий сотрудникам полиции останавливать любого прохожего и проверять его документы, если он выглядит подозрительно.

— Европейские лидеры считают, что эпоха мультикультуризма потерпела крах, и теперь переходят к пассивной обороне, — сказал Дронго. — А если так пойдет дальше, то очень скоро они перейдут к агрессивной наступательной политике. Президент Франции Саркози уже открыто говорит о том, что они готовы даже выйти из Шенгенского соглашения. Наверно, правильно. В Европе оказалось слишком много инородцев и людей, не принимающих современную европейскую ментальность и культуру. Шесть миллионов мусульман во Франции, пять миллионов — в Германии, четыре миллиона — в Великобритании — цифры впечатляют и пугают. А среди приехавших попадаются и не самые добропорядочные граждане. Достаточно вспомнить «тулузского стрелка», который застрелил трех маленьких еврейских детей. И он оказался этническим арабом, но гражданином Франции.

— Это было ужасно, — согласилась Эмма, — просто ужасно. Я помню об этой трагедии. Я могу узнать: как вы оказались в этом городе? Баден-Баден известен в Германии как город, где есть известные казино. Такой маленький Лас-Вегас. Говорят, что здесь любили играть даже Достоевский и Тургенев.

— И многие другие, — усмехнулся Дронго. — Но я не люблю ходить в казино. Глупо играть, когда у тебя небольшие шансы выиграть у игорного заведения. Но люди непостижимым образом верят, что удача улыбнется именно им и они смогут выиграть. Я не принадлежу к таким «наивным романтикам». Поэтому здесь я оказался проездом. Завтра утром я уезжаю в Берлин.

— И сколько дней вы будете в Берлине? — неожиданно спросила Эмма.

— Наверно, два или три дня. У меня там назначено несколько важных встреч. А почему вы спрашиваете?

— Послезавтра мы собираемся всей семьей в загородном доме моей старшей сестры в Потсдаме, — пояснила Эмма. — Вернее, это дом мужа Анны, моей сестры. Ее муж тоже переехал из Казахстана. Герман Крегер. Но в отличие от нас они переехали в Германию еще в начале девяностых. Возможно, поэтому им было гораздо легче адаптироваться. Они здесь уже почти двадцать лет. А их двоюродная сестра со стороны отца вышла замуж за самого Фридриха Зинцхеймера. Вы, наверно, слышали эту фамилию. Он один из самых известных адвокатов в Германии. Его прадед был одним из создателей новой юридическо-социологической школы еще в начале двадцатого века. Никогда не слышали?

— Нет, не слышал.

— Герман очень гордится родством с этими Зинцхеймерами.

— Надеюсь, у вашей сестры все в порядке? Я имею в виду ее семейную жизнь?

— Тоже не совсем, — вздохнула Эмма. — Нет, если вы имеете в виду ее отношения с супругом, то там как раз все в порядке. Он прекрасный муж, заботливый отец, хороший друг. Но... в каждой семье есть свои «скелеты в шкафу». Так, кажется, говорят про разные семейные тайны.

— Вы филолог по образованию? — уточнил Дронго.

— Да. Специалист по романо-германской литературе, — кивнула Эмма. — Может быть, наша встреча совсем не случайная, как вы считаете?

— Вы чего-то опасаетесь?

— Во всяком случае, ваше присутствие в загородном доме моей сестры было бы более чем желательным, — уклонилась женщина от конкретного ответа. — Учитывая, что я буду там без своего мужа, то ваше появление придаст мне больше уверенности. В конце концов, я до сих пор помню, как вас хвалила сестра Мукана. Вы придете к нам?

— В честь чего у вас прием?

— В честь шестидесятипятилетия матери мужа моей сестры. Он будет у них в доме. И мне очень хотелось бы вас там увидеть.

— Но меня не пригласили...

— Я вас приглашаю, — быстро сказала Эмма.

— Не могу обещать, — честно признался Дронго. — Возможно, у меня не получится. Я еще не совсем знаю свое расписание в Берлине.

— Понимаю. Конечно, я вас понимаю. Представляю, как вы вообще относитесь к моему приглашению. Взбалмошная рыжая стерва неожиданно встретила человека на улице и вспомнила, что много лет назад ее познакомили с ним и сообщили, что он работает сыщиком. А теперь, после нескольких минут беседы, она неожиданно приглашает его в дом своей старшей сестры на прием в честь ее свекрови. Все это выглядит глупо, не совсем разумно, если хорошенько подумать. Но разве все в нашей жизни нужно подчинять только диктату разума?

— Вообще-то желательно, — заметил Дронго. — Давайте сделаем так. Вы оставите мне свой номер телефона, и я перезвоню вам, когда буду в Берлине. Если получится, я обязательно приеду.

— Здорово, — женщина достала из своей сумочки визитную карточку, протянула ее Дронго. — Как видите, здесь я еще значусь как Эмма Буземан. А у вас есть своя визитная карточка?

— При моей профессии их обычно не носят, — пояснил Дронго, — но я запишу вам номер моего телефона. — Он достал ручку и, взяв салфетку, написал свой номер. Протянул его женщине.

— Спасибо, — сказала она. — Только учтите, что я могу представиться уже как Эмма Вихерт. Не забудете?

— Нет. — Дронго помолчал, а затем неожиданно спросил: — У вас не было детей?

— Слава богу, не успели. Муж оказался таким типичным немецким бюргером — расчетливым, пунктуальным, аккуратным, добросовестным, занудным и заурядным.

— За исключением двух последних качеств, все остальные не столь плохи.

— Возможно. Но если вы не живете с человеком, который ставит кружки и стаканы на раз и навсегда заведенные места, ходит по воскресеньям в церковь, а по субботам утром честно выполняет свой супружеский долг, словно он дал подобные обязательства раз и навсегда. А расходы денег он контролирует, как добросовестный бухгалтер, и отмечает каждую лишнюю выпитую чашку кофе, — фыркнула от возмущения Эмма. — Извините, я, кажется, излишне эмоциональна. Нельзя быть такой машиной в тридцать шесть лет. А он, похоже, уже никогда не изменится. И это при том, что он уже сейчас работает заместителем генерального директора крупной компании.

— Вы его не любили, — проговорил Дронго.

Это был не вопрос, и она нервно отвернулась, не отвечая на утверждение собеседника. Затем достала из сумочки сигареты, щелкнула зажигалкой, закурила.

— Он мне нравился, — сказала Эмма, — и мне казалось, что все будет нормально. Видит бог, я изо всех сил пыталась стать хорошей супругой. Но у меня тоже ничего не получилось. Возможно, я не права и виноват не он, а именно я. В конце концов, вы правильно сказали, что аккуратный и добросовестный муж — не так плохо. Но иногда это надоедает! — Эмма взглянула на часы. — Ой, я опаздываю! Нужно позвать официантку, чтобы нас рассчитали.

— У вас остались привычки от вашего супруга, — заметил Дронго. — Если вы торопитесь, то можете идти. Я думаю, что сумею наскрести денег, чтобы заплатить за ваш кофе.

Эмма в очередной раз улыбнулась и, забрав свою сумочку, поднялась со стула. Он тоже поднялся. Она протянула ему руку.

— Я действительно буду рада видеть вас в Потсдаме. До свидания. Очень рада была вас еще раз встретить. Все равно позвоните, если не сможете приехать, — мне будет приятно. Или я сама решусь еще раз вас побеспокоить и наберу ваш номер телефона.

Она взяла свои вещи и быстрым шагом вышла из кафе. Дронго подозвал официантку, расплатился по счету и тоже покинул здание. Дождь уже прекратился. Он повернул в сторону своего отеля.

«Интересная встреча, — подумал сыщик, — нужно будет найти время, чтобы побывать на этом приеме».

Глава 2

Oн любил Берлин. Анализируя свои чувства к нему, Дронго отмечал, что этот мегаполис менее всего похож на Лондон или Париж, которыми он тоже восхищался. Но эти города почти не менялись с годами, тогда как Берлин претерпел в последние годы удивительную метаморфозу. Дронго еще помнил те времена, когда грозная стена делила этот город пополам, и это была не просто линия, отделяющая западную часть мегаполиса от восточной. Это была граница, разделяющая два мира и две цивилизации, вынужденные существовать на таком близком расстоянии друг от друга. Он хорошо помнил те времена, когда нельзя было даже подходить к Бранденбургским воротам, где проходила государственная граница. Может, это была обычная ностальгия по молодым годам? Или изменения в Берлине, произошедшие за последние двадцать лет, были столь зримыми, что ему было просто интересно ходить по тем местам, которые раньше считались запретными. Во всяком случае, в первые годы он все время подходил к Бранденбургским воротам, поражаясь происшедшим переменам. А потом началось грандиозное строительство и преображение центра города, когда словно из-под земли вырастали новые здания, новые станции вокзалов, новые мосты и новые кварталы. Это был по-своему уникальный проект — ведь впервые в центре одного из крупнейших городов Европы осуществлялась такая планомерная и продуманная застройка. Может, поэтому центр города стал гораздо более современным, чем в любой другой европейской столице, делая Берлин по-своему неповторимым городом.

Он еще помнил, когда в городе существовало два центральных вокзала — Восточный и станция у зоопарка, где останавливались все поезда, приходившие в Западный Берлин. Можно было выйти из самого шикарного отеля Западного Берлина — «Бристоля» и увидеть в нескольких десятках метров над собой уходивший поезд.

С постройкой нового многоэтажного железнодорожного вокзала на месте заброшенного пустыря на ничейный земле Потсдамер-платц оба прежних центральных вокзала начали пустовать и потеряли былое значение. Дронго еще помнил, как возводился этот многоуровневый центральный вокзал, откуда уходили поезда в разные части не только объединенной Германии, но и всей Европы. А бывший роскошный отель «Бристоль», в котором останавливались гости знаменитых берлинских кинофестивалей, начал напоминать обшарпанную гостиницу советских времен. Дронго помнил, когда в середине девяностых в восточной части Берлина появился отель «Хилтон», который тоже стал своеобразным символом западной роскоши в восточной части города. Но за пятнадцать лет «Хилтон» тоже потерял прежний лоск и звездность. Недалеко появился роскошный «Вестин», а рядом с Бранденбургскими воротами восстановили претенциозный и монументальный «Адлон», сожженный в сорок пятом во время штурма Берлина. Этому отелю не повезло больше других. В тридцатые годы здесь обычно собирались бонзы нацистской партии, говорят, здесь любил бывать Адольф Гитлер. Разумеется, самые ожесточенные бои шли в центре города, и отель был практически разрушен до основания, ведь он находился недалеко от Рейхстага. Его не стали восстанавливать и после победы, так как эта территория оказалась почти на границе между Восточным и Западным Берлином. И только после того, как стена рухнула и произошло сначала объединение города, а затем и всей страны, было принято решение о восстановлении «Адлона».

А в западной части Берлина открылся отель системы «Штайнбергер», который довольно быстро завоевал популярность у гостей своим удобным расположением и сервисом. Дронго заказал себе номер в «Бристоле», в очередной раз с сожалением отмечая ухудшение качества обслуживания и сервиса некогда одной из лучших гостиниц Европы. Гости традиционных Берлинских кинофестивалей ныне предпочитали останавливаться в других отелях, а построенный в центре города огромный кинотеатр на двенадцать залов находился теперь рядом с отелем «Хаят Реджженси».

Свои встречи в этот день Дронго закончил к семи часам вечера и вспомнил про номер телефона, который ему дала Эмма. Хотя нет, он не вспомнил. Он помнил о своей встрече в Баден-Бадене весь день, настолько заинтересовала его эта встреча с молодой женщиной, которая помнила их случайное знакомство десять лет назад. Вернувшись в свой номер, он достал ее карточку, положил ее перед собой на столик и все-таки подумал над тем, стоит ли ему звонить. Так прошло минут десять, и вдруг зазвонил его мобильный телефон.

Дронго быстро ответил:

— Я вас слушаю.

— Добрый вечер, господин сыщик, — услышал он уже знакомый голос Эммы. Она словно почувствовала, что именно в этот момент он колеблется, решая, стоит ли ему звонить. И она позвонила сама.

— Здравствуйте, фрау Вихерт, — ответил Дронго.

— Спасибо, что не называете меня фрау Буземан, хотя на самом деле я все еще продолжаю числиться супругой своего прежнего мужа.

— Полагаю, что ненадолго.

— Я тоже так думаю. Мы разводимся в начале следующего месяца. Вы уже в Берлине?

— Да.

— И вы завтра приедете к нам в Потсдам?

— Пока не знаю. Я ничего не решил.

— Но мы можем увидеться сегодня вечером? — спросила женщина.

— Это приглашение? — усмехнулся Дронго.

— Можете считать и так, — лукаво сказала Эмма. — Где вы остановились?

— В «Бристоле».

— Очень хорошо. Если через час я заеду за вами, мы сможем куда-нибудь поехать и поужинать. Если вы не возражаете.

— Не возражаю, но только с одним условием...

— Каким?

— Платить по счетам будет мужчина. А выбор ресторана на ваше усмотрение.

— Не буду спорить, — рассмеялась Эмма. — Тогда договорились. Ровно через час я буду у вашего отеля. Между прочим, столик в ресторане я уже заказала. До встречи.

Дронго положил телефон на столик и отправился принимать душ. Ровно через час он уже сидел внизу, в холле, на диване, ожидая, когда приедет его новая знакомая. Он помнил, как первый раз увидел этот отель еще в эпоху разделенного города, когда само появление советского гражданина в Западном Берлине было редким событием. У отеля тогда расстелили красную дорожку, и швейцар в красивой униформе приветствовал гостей отеля. Дронго тогда прошел мимо, даже не пытаясь войти в отель. В те времена не приветствовались непредусмотренные контакты или появления в подобных незнакомых местах. Да и денег на такие отели тогда у него не могло быть. Как все изменилось за четверть века! Хотя, наверно, по большому счету за прежние четверть века изменения были такими же кардинальными, а если взять еще один отрезок в двадцать пять лет, то почти невероятными. Семьдесят пять лет назад здесь маршировали колонны эсэсовцев, а у власти в стране был бесноватый фюрер. Примерно в это время в Москве и в Баку расстреливали инакомыслящих, и мир потихоньку сходил с ума, готовясь к большой войне. «Тридцать седьмой год... — подумал Дронго. — Поистине были страшные времена. Через двадцать пять лет здесь все еще были развалины, а город был разделен на две враждебные друг другу части. А если взять срок в один век, то тогда Берлин был имперским городом — столицей большой Германии и Пруссии, в которых правил кайзер. Хотя и тогда все шло к большой войне. И уже в двенадцатом году все понимали, что большой войны избежать не удастся. Наверно, каждый крупный город Европы может рассказать подобные истории, которые будут не менее занимательны и интересны».

Дронго увидел, как в холл отеля поднимается по лестнице Эмма Вихерт. Она была в темном платье и светлом плаще. Рыжие волосы падали ей на плечи. Он шагнул навстречу женщине. Она протянула руку.

— Спасибо, что согласились увидеться, — сказала Эмма.

— Кажется, меня впервые благодарят за то, что я согласился поужинать в такой очаровательной компании, — признался Дронго. — Поэтому перестаньте мне напоминать, что это вы позвонили ко мне и именно вы предложили нам вместе поужинать. Иначе я слишком остро буду чувствовать свою ущербность.

— В таком случае я больше не произнесу ни слова на эту тему, — пообещала Эмма. — Идемте со мной. Я приехала на своей машине.

Они вышли из отеля. Недалеко был припаркован автомобиль. Белый «Фольксваген Пассат». Они прошли к машине. Эмма села за руль, Дронго разместился рядом.

— Куда мы едем? — поинтересовался Дронго.

— Отсюда недалеко, — пояснила Эмма. — Теперь я знаю, что вы известны не только в Казахстане. Я смотрела в Интернете все, что написано про вас. Очень любопытная информация. Оказывается, вы не просто хороший сыщик, а один из самых известных сыщиков в наше время. Там, правда, указано, что вы эксперт-аналитик.

— В Интернете могут написать, что я беременная женщина, — заметил Дронго. — Не нужно верить всему, что там пишут.

— Но насчет аналитика все правильно?

— Любой сыщик или следователь должен быть аналитиком. Иначе он просто не сможет нормально работать.

— Понятно. Мы едем на Унтер-дер-Линден, в ресторан «Марго». Я заранее заказала столик. Узнала у мужа моей сестры, какой ресторан считается одним из лучших в Берлине.

— У этого ресторана есть даже мишленовская звезда, — вспомнил Дронго.

— Вы знаете про этот ресторан? — огорченно спросила Эмма. — А я думала, что сделаю сюрприз.

— Я неплохо знаю Берлин, — сообщил он.

Они ехали через центральный парк.

— Когда вы заказали ужин? — поинтересовался Дронго. — В таком ресторане нельзя сделать заказ после семи вечера. Вы сказали, что уже заказали столик в ресторане, и я подумал, что вы пошутили. Но теперь понимаю, что вы действительно позвонили туда. Неужели вы заранее знали, что найдете меня и я поеду с вами на ужин?

— Не была уверена, — призналась Эмма, — но все равно заранее заказала столик. Заказ всегда можно отменить. Вы считаете меня авантюристкой?

— Я этого не говорил. Но подобный шаг с вашей стороны был смелым.

— Спасибо. Просто я подумала, что так будет надежнее. После того как прочла столько разных сообщений о ваших расследованиях. Оказывается, вы современный Шерлок Холмс.

— Я уже вам говорил, что это преувеличение, — напомнил Дронго.

— Не очень большое. Там указано о стольких ваших расследованиях... Если даже половина из них правда, то вы действительно очень интересный человек.

— Теперь буду знать. Давайте лучше поговорим о вашем завтрашнем приеме. Насколько я понял, он почему-то вас волнует. И вы проявляете странное беспокойство.

— Возможно, вы правы, — призналась Эмма.

Оставшуюся часть пути они молчали. Вскоре машина выехала на Унтер-дер-Линден и остановилась у ресторана. В самом ресторане им принесли меню, и Дронго обратился к Эмме:

— Может, вы мне поможете? Скажите официанту, что я хотел бы заказать их фирменное блюдо — жареную оленину в соусе из красного вина и шоколада. А салаты и закуски может выбрать на свое усмотрение.

— Вы раньше здесь бывали? — спросила Эмма.

— Нет. Но я слышал об этом ресторане, — ответил Дронго. — И вино нужно взять итальянское красное. Самое лучшее сорта «Баролло». Пусть спросит у сомелье, урожай какого года он нам предложит к оленине.

Официант принял заказ и удалился. Почти сразу принесли бутылку красного вина. Продегустировав вино, Дронго выражением лица дал понять, что оно ему нравится, и официант разлил вино в высокие бокалы.

— За нашу встречу, — предложила Эмма.

Бокалы почти неслышно соприкоснулись.

— И все-таки, что именно вас беспокоит? — спросил Дронго.

— Душевное состояние одной из женщин, которая завтра будет с нами. Не знаю почему, но я опасаюсь этой встречи и беспокоюсь за нас всех. Она не совсем адекватно воспринимает происходящие события и уже однажды сорвалась...

— Можете рассказать подробнее, — предложил Дронго.

— Дело в том, что сестра матери Германа несколько лет назад находилась в клинике для душевнобольных. Внешне она выглядела почти здоровой, но иногда случались срывы. Просто ужасные.

— Долго она была в этой клинике?

— Полтора года. Потом ее перевели под домашний надзор. Врачи посчитали, что она почти излечилась. Но мы все знали, что тяжелый срыв может произойти в любой момент. И это произошло примерно пять месяцев назад, но по настоянию матери Германа мы не стали сообщать об этом лечащим врачам.

— И теперь она живет вместе со своей сестрой?

— Да. И именно это волнует меня более всего. В любой момент она может выкинуть все, что угодно. Но не это самое печальное. У моей старшей сестры есть девочка. Ей уже шесть лет. И мы с отцом очень опасаемся, что подобный генетический сбой может проявиться и у моей племянницы. А это будет уже настоящая трагедия и для меня, и тем более для моей сестры.

— Ваш отец будет на приеме?

— Нет. Он сейчас находится в Австралии, куда улетел со своей молодой супругой. Катается на этих досках и живет на берегу в ожидании подходящего океанского прибоя.

— Очевидно, он так поступает не без воздействия молодой супруги, — понял Дронго.

— Я тоже так думаю. Тем более что ее мать из Австралии. Хотя, если совсем откровенно, отец терпеть не может всех этих Крегеров и не любит бывать у моей старшей сестры. А вот моего неразумного мужа он любил гораздо больше. Очевидно, случаются и такие странные отношения. Я развожусь со своим мужем, к которому не без симпатии относился мой отец, а Анна празднует юбилей матери своего мужа, который явно несимпатичен моему отцу.

— Я могу узнать причину?

— Причины никакой нет. Она иррационального свойства. Все, что ему не нравится в Германе, нравится в моем муже. И наоборот. Все, что не нравится в моем бывшем супруге, почему-то импонирует в Германе. Хотя его семью отец никогда особенно не любил.

— Как зовут мать Германа?

— Марта Крегер, а ее сестру — Сюзанна Крегер. Такие обычные немецкие имена. Хотя на самом деле первая «е» пишется с двумя точками над буквой. Но в русском алфавите сейчас эта буква просто умирает, а вместо нее пишется обычное «е».

— Вы слишком строго подходите к разного рода изменениям в алфавите, — заметил Дронго, — даже для филолога. В эпохи потрясений появляются различные версии, изменения, даже сомнения.

— На самом деле мне абсолютно все равно, как именно будет звучать их фамилия. На русском или немецком, — призналась Эмма.

— Вы их не любите, — решил Дронго.

— Я их боюсь, — призналась она.

Официант принес несколько блюд и, расставив их на столике, быстро отошел.

— За ваше здоровье, — предложил Дронго, поднимая бокал.

Бокалы снова неслышно стукнулись.

— Кто будет на приеме, кроме вас? — спросил он.

— Анна, ее муж, их дочь. Мать мужа и ее сестра, — перечисляла Эмма. — Будут еще сестра Германа с мужем. И еще одна пара их друзей, прилетевшая из Киева. Арнольд Пастушенко и его жена. По-моему, все. Да, точно. Больше никого не будет.

— И поэтому вы считаете, что я должен быть на этом сугубо семейном празднике?

— Я буду одна, — напомнила Эмма, — без мужа и без отца. И мне показалось правильным, если я приглашу именно вас. Как своего друга. Если вы, конечно, не возражаете.

— Начинаю думать, что мне действительно нужно отправиться туда вместе с вами, — признался Дронго.

— Спасибо, — она подняла свой бокал. — А теперь давайте выпьем за вас.

Бокалы соприкоснулись в третий раз.

— Есть еще какая-то причина вашего беспокойства, кроме душевной болезни родственницы вашей сестры? — спросил Дронго.

— Думаю, что есть, — призналась Эмма. — Эта женщина стала наследницей довольно крупного состояния, которое осталось ей от их двоюродной тетки. Она решила пожалеть свою родственницу и переписала на нее завещание. Речь идет о сумме в восемь или девять миллионов евро. А это очень большие деньги для душевнобольной женщины. Теперь вы меня понимаете?

— Вы можете дать точный адрес их дома в Потсдаме?

— Конечно. Но будет еще лучше, если я заеду за вами. Часам к шести. Пусть они думают, что я приехала туда с другом.

— Мне будет сложно, — предупредил Дронго, — я не знаю немецкого и не смогу понять большую часть ваших разговоров.

— Мы все говорим по-русски, — пояснила Эмма, — не забывайте, что почти все мы выходцы из бывшего Союза. Кроме мужа сестры Германа. Но он уже тоже начинает понимать русский язык, хотя и не очень хорошо говорит. Берндт Ширмер работает начальником отдела в берлинском отделении «Дойче Банка». Говорят, что он перспективный сотрудник, несмотря на свой относительно молодой возраст.

— А чем занимался ваш муж?

— Тоже работал в финансовой сфере, — нахмурилась Эмма. — Он вкладывал все имеющиеся у него свободные деньги в акции различных компаний и считал, что на этом он сможет заработать еще большие деньги. Вы знаете, когда мужчина зарабатывает деньги, это неплохо. Но когда мужчина все время думает только о деньгах, которые становятся смыслом его жизни, целью всех его помыслов, устремлений, надежд, — это печально. Наверно, есть женщины, для которых такой муж может быть почти идеальным. Но только не для меня. Я считала, что нельзя подчинять свою жизнь диктату бумажек, которые становятся для тебя главной ценностью в жизни. Кроме купюр, есть еще эмоциональная сфера отношений — любовь, секс, дружба, сочувствие, понимание.

— Многие с вами не согласятся, — сказал Дронго. — Сейчас традиционно считается, что обладатель большого количества таких разноцветных бумажек может купить любовь, секс, дружбу, сочувствие и понимание. И еще здоровье, красоту, уважение. В общем, почти все, кроме бессмертия. Хотя говорят, что скоро можно будет купить и его.

— У меня может сложиться впечатление, что вы разделяете взгляды моего бывшего мужа, — усмехнулась Эмма.

— Не разделяю, — мрачно ответил Дронго, — по-прежнему не разделяю. Я точно знаю, что нельзя купить дружбу. И любовь происходит вопреки всему, даже вопреки всем этим разноцветным бумажкам. И наконец, кто может оценить, сколько стоит глаз вашего ребенка или его рука? В какую стоимость включаются ваши воспоминания о маме, которая так рано ушла? Хотя все это по большому счету только схоластический спор. Каждый сам определяет меру своего счастья и своего несчастья. И их цену.

Эмма молчала, очевидно, обдумывая его слова.

— Вы женаты? — неожиданно спросила она.

— Сначала вы приглашаете меня на ваш семейный праздник, потом заказываете столик в модном ресторане и только во время ужина задаете самый главный вопрос, — весело сказал Дронго.

— В Интернете ничего не сказано о вашей семье.

— Это самое лучшее, что может быть в Интернете, — пробормотал Дронго. — При моей профессии такая информация была бы не только лишней, но и опасной для моих близких.

— Значит, вы женаты? — поняла Эмма.

— И уже много лет, — ответил Дронго.

— Жаль, — неожиданно произнесла женщина. — Я бы хотела иметь рядом такого друга, как вы. И не только в качестве спутника на нашем семейном приеме. Но и в более близком качестве.

— Если я начну краснеть, скажите мне об этом, — попросил Дронго.

— Не начнете, — убежденно произнесла Эмма, — вы для этого слишком умный. Можете считать, что я сделала неудачную попытку пофлиртовать с вами. Кажется, несут нашу оленину. Так вы согласны завтра поехать вместе со мной?

— После таких комплиментов я просто обязан, — притворно вздохнул Дронго, — никуда не денешься.

Оба рассмеялись. Больше на эту тему они не говорили. Через два часа Эмма отвезла его в «Бристоль». На прощание Дронго поцеловал женщине руку, и она грустно усмехнулась.

— Завтра в шесть я буду вас ждать, — добавил он, выходя из автомобиля.

Глава 3

Ночью он все-таки решил покопаться в Интернете и поискать сведения, какие можно найти на знакомых и родственников Эммы Вихерт. Поразительно, как много данных иногда можно найти в Интернете. Набираешь фамилию знакомого человека, и неожиданно появляется информация, что он был связан с преступными организациями и подозревался в мошенничестве. Сразу возникает статья с конкретным указанием на этого человека. Не зря Интернет называют паутиной. Она связывает людей друг с другом и выставляет на всеобщее обозрение их пороки, ошибки и просчеты, допущенные в жизни.

Семья Вихерт прибыла в Германию из Казахстана уже в новом веке, тогда как семья Крегеров оказалась в

Германии в начале девяностых. Самая большая информация была на Берндта Ширмера и его банк. А про Арнольда Пастушенко говорилось о том, что он подозревался в валютных операциях еще в конце восьмидесятых. Причем тогда он работал в Киеве, а родился в Целинограде в Казахстане. Дронго отметил эту информацию, продолжая читать дальше. Нигде не было сказано о возможной болезни Сюзанны Крегер, которая лечилась в клинике для душевнобольных. Очевидно, кто-то из родственников внимательно следил за подобными сообщениями, появлявшимися на информационных сайтах. В эту ночь Дронго заснул намного позже обычного. Утром он принял горячий душ, побрился, оделся и спустился к завтраку. Ресторан выходил окнами на Курфюрстендамм, самую известную улицу Западного Берлина. Отсюда было удобно наблюдать за прохожими.

Он постарался закончить свои дела к половине шестого и вернулся в отель. Ему уже привезли заранее заказанный букет цветов, благо цветочный магазин был недалеко от отеля. В шесть часов вечера Дронго уже ждал Эмму, которая обещала за ним заехать. Минуты тянулись медленно, как обычно бывает в подобных случаях. В восемнадцать пятнадцать он нетерпеливо посмотрел на часы, а в восемнадцать двадцать достал телефон и набрал номер Эммы. Телефон был отключен. Дронго убрал мобильник в карман, продолжая сидеть на диване. В половине седьмого он решил, что нужно предпринять какие-то действия. Женщина не просто опаздывала, скорее всего, с ней что-то случилось.

Нужно вернуться в свой номер и попытаться найти адрес дома семьи Крегеров, проживающих в Потсдаме. Не хотелось думать, что с Эммой могло произойти что-то плохое. Но она не перезванивала Дронго, ее телефон упрямо молчал, и на часах было уже без двадцати пяти семь.

Он уже собирался подняться в свой номер, чтобы уточнить адрес семьи родственников Эммы, когда она с виноватым видом появилась в холле отеля. Он поднялся, шагнул к ней. Женщина опоздала ровно на сорок минут. Дронго выразительно смотрел на нее.

— Извините, — жалобно пробормотала Эмма, — у меня телефон упал в реку, и я пыталась его достать. Поэтому и опоздала. Не могла вам перезвонить. Какой прекрасный букет! — быстро добавила женщина, не давая ему возможности что-либо сказать. — Это для меня?

— Нет, — ответил Дронго, — для свекрови вашей сестры. Вы говорили, что собираетесь на ее день рождения.

— Да, конечно. Какой вы внимательный! — восхитилась Эмма. — Только не обижайтесь, но у вас такое лицо, словно я опоздала на три дня.

— Вы опоздали на сорок минут, — сообщил Дронго. — Учитывая, что вы не позвонили, ждать было довольно утомительно.

— Я все понимаю и поэтому извинилась, — быстро произнесла Эмма. — И вы должны меня понять. Я ведь не нарочно это сделала. Представьте себе, что мы фотографировались с Анной, когда она случайно задела меня рукой, и телефон полетел вниз. Она сама так переживала. А я забыла номер вашего телефона, ведь он был записан именно в моем мобильнике. И вообще не представляю, что мне теперь делать. Все мои контакты были в том телефоне, а память у меня дырявая, и я ничего не помню. Представляете, как мне теперь будет сложно!

— Ужасно, — согласился Дронго без тени иронии.

Эмма подозрительно взглянула на него:

— Вы издеваетесь?

— Нет. Пытаюсь осознать весь трагизм вашего положения без вашего мобильника. Иногда даже полезно бывает остаться в одиночестве без средств связи. Поверьте, что такие разгрузки нужно иногда себе позволять.

— Только не мне. Честное слово, я ужасно переживала и действительно хотела достать утонувший телефон. Целых полчаса мы пытались выудить его из воды, даже позвали какого-то парня, который согласился поискать за пятьдесят евро. Но он так ничего и не нашел.

— Мы будем стоять в холле или поедем к вашей сестре? — поинтересовался Дронго.

— Конечно, поедем. Просто я хотела объяснить, что именно со мной произошло. Спасибо, что вы меня дождались.

Дронго взял букет, и они прошли к ее автомобилю. Машина была заляпана грязью. Эмма с виноватым видом пожала плечами:

— Я торопилась сюда, боялась, что не успею.

Усевшись в автомобиль рядом с женщиной, он положил букет на заднее сиденье и пристегнулся.

— Я доехала к вам за двадцать минут, — призналась Эмма, — боялась, что вы уйдете. Представляю, сколько штрафов мне выпишут.

— Ваши родственники уже собрались?

— Конечно. Все уже в сборе. Нужно было видеть их лица, когда я сказала, что приеду к ним со своим новым другом. Это было подобно эффекту землетрясения. Они не могли мне поверить. Я еще не успела оформить развод с прежним мужем, как обзавелась любовником. Представляете, что они обо мне думали?

— Могу себе представить, — пробормотал Дронго. — И тем не менее вы решили взять меня с собой.

— Я подумала, что так будет правильно, — призналась Эмма. — Или вы уже пожалели, что решили связаться с такой взбалмошной особой, как я?

— Пока нет. Но если вы будете опаздывать на сорок минут и терять свои телефоны, то я могу подумать, что вы просто решили испытать мою нервную систему.

— Я уже извинилась, — напомнила женщина.

— А я уже сел в машину, приняв ваши извинения, — ответил Дронго.

Оба улыбнулись.

— Как получилось, что ваша сестра умудрилась выбить у вас из рук телефон? — поинтересовался Дронго.

— Мы делали снимки на мой мобильник, — пояснила Эмма. — Анна нервничала с самого утра. У нее напряженные отношения со свекровью, как это обычно бывает. Конечно, Крегеры, которые переехали сюда довольно давно, мечтали о том, что их любимый сын женится на настоящей немке.

— А вашу сестру они не считают немкой? — спросил Дронго.

— Не совсем. Не забывайте, что у нас мама не немка, а потом мы приехали гораздо позже их и считаемся немцами третьей волны. Ну и вообще она хотела бы полностью оборвать все связи своей семьи с бывшими соотечественниками из Казахстана. Она родилась в тридцать седьмом, и их сослали в Казахстан, когда ей было только три года. Ее отца и дядю расстреляли, и, очевидно, эти воспоминания подсознательно на нее давят.

— Полагаю, что они давили бы на любого человека.

— Верно. Но не у всех такие сложности, как у них в семье. Ее сестра даже не помнит отца, которого расстреляли, когда ей было несколько месяцев. Это ужасно, расти всю жизнь с осознанием того, что в государстве, где ты живешь, твоего отца сочли врагом народа и убили. Мне всегда бывает жалко немцев, родившихся в двадцатые — тридцатые годы и живших тогда в Советском Союзе. Если всем остальным приходилось несладко, то можете себе представить, как сложно было немцам. Особенно в начале войны, когда слова «немец» и «фашист» стали синонимами, а Илья Эренбург тогда написал свою знаменитую статью «Убей немца». Я, конечно, понимаю чувства советских людей, на которых напали немцы. Мама говорила, что немцев ненавидели все ее родственники, и в доме был даже скандал, когда она хотела выйти замуж за моего отца. Хотя это были уже восьмидесятые годы и после войны прошло тридцать пять лет.

— Почти каждая советская семья потеряла кого-то во время войны, — напомнил Дронго. — Лично у меня погибли двое братьев моего отца. Он сам тоже воевал, будучи восемнадцатилетним офицером. Я думаю, вы не обидитесь, если я скажу, что мой отец до конца жизни не мог слышать немецкую речь. А умер он уже на девятом десятке лет. Эти сильные чувства неприятия всего того, что связано с немцами, сохранялись у многих фронтовиков до конца жизни, и с этим ничего нельзя было поделать.

— Я знаю, — кивнула Эмма, — даже наших ребят в школе иногда дразнили фашистами. Это в Казахстане, где обычно была самая интернациональная среда и в классах учились не только казахи, но и русские, украинцы, немцы, прибалты, в общем, полное смешение всех народов и национальностей. Но стереотипы восприятия немцев были еще сильны. Многие воспользовались ситуацией после объединения Германии и вернулись на свою историческую родину. В начале девяностых

Германия стала единой страной, а СССР начал распадаться. Многие не хотели ждать лучшей жизни, бросали все нажитое и уезжали в Германию. Но все равно ужасно, когда я вспоминаю, как мучили немцев Поволжья, когда выселяли их в Северный Казахстан. Всех немцев объявили чуть ли не пособниками Гитлера и врагами народа. А ведь там было много достойных и порядочных людей. Этот сталинский режим был таким кровавым... — вздохнула Эмма.

— Не нужно мыслить так шаблонно, — посоветовал Дронго. — Это я говорю не в оправдание сталинских репрессий, когда убирали политических противников, фактически ни в чем не виноватых, только лишь за то, что они были не согласны с генеральной линией самого Сталина. Репрессиям подвергались не только немцы, но и многие другие народы, проживающие в нашей прежней стране. Но если говорить о переселении немцев в Казахстан, то стоит вспомнить о том, как после нападения японцев на американцев в Перл-Харборе один из самых популярных президентов Соединенных Штатов — известный демократ и либерал Франклин Рузвельт распорядился создавать специальные концентрационные лагеря, куда сгоняли всех граждан США японской национальности. У них отнимали имущество, дома, бизнес и отправляли в эти лагеря целыми семьями. Стариков, женщин, детей... Их единственная вина состояла в том, что они были японцами. И это происходило не при кровавом сталинском режиме, а при демократическом американском строе. Как видите, иногда суровая необходимость диктует свои правила даже в самых демократических странах.

Эмма искоса посмотрела на Дронго.

— Вы оправдываете преступления сталинского режима?

— Ни в коем случае. Но я считаю, что правда не может быть односторонней. Если вспоминать о депортации немцев в Северный Казахстан, то нужно вспоминать и о концентрационных лагерях для японцев — граждан США во время войны.

— Я не слышала про японцев, — призналась Эмма.

— Американцы живут по принципу «Моя страна всегда права», — пояснил Дронго, — а бывшие советские граждане жили по принципу «Моя страна всегда не права». Сотни и тысячи журналистов специализировались на охаивании истории и политики своей собственной страны. Многие даже не понимали, к чему приведут их «разоблачения», часто тенденциозные и односторонние. Кончилось это распадом страны, которую так мордовали. Один из самых известных диссидентов — Владимир Максимов с горечью признался: «Метили в коммунизм, а попали в Россию». Просто о многом потом не писали газеты. Когда бывшие диссиденты протестовали против политики односторонних уступок Москвы, когда даже Солженицын отказался получать орден из рук Ельцина, когда подобный демарш совершил и другой большой русский писатель, Юрий Бондарев, об этом просто не сообщали ни в России, ни в Казахстане, ни в Германии.

Они выехали на шоссе, ведущее к Потсдаму.

— Вы говорили, что, кроме ваших родственников, там будет еще одна пара, — вспомнил Дронго, — кажется, Арнольд Пастушенко и его супруга.

— Верно, — удивилась Эмма, — как хорошо вы запомнили. Это наши близкие друзья еще по прежней жизни в Казахстане. Арнольд учился с Анной в одном классе. Потом они расстались, он уехал поступать в Киевский институт международных отношений, а мы остались в Казахстане. Но связь поддерживали все время. И он тоже переехал сюда. У него вторая супруга — Леся Масаренко, они познакомились уже здесь. Ему тридцать два, а ей двадцать шесть. Они поженились в прошлом году.

— Я смотрел данные на Пастушенко, — признался Дронго, — там не очень приятная информация.

— О его валютных операциях, — тотчас откликнулась Эмма. — Ну, конечно, что там еще может быть. Он ведь уехал в Киев в конце девяностых. Можете себе представить, как ему было там трудно одному? У него, кроме двоюродной тети, никого не было. И они вместе с товарищем решили открыть пункт обмена валюты, не оформив нужные документы. Просто поставили столик в гостинице и стали обменивать деньги для иностранцев. Ну и, конечно, им не дали работать, ведь у них не было ни крыши, ни достойных покровителей. Арнольд мне сам рассказывал обо всем. И это закончилось тем, что его едва не посадили. Вернее, дали три года условно, и тогда он принял решение уехать из Киева. Сначала перебрался в Варшаву, а уже потом в Германию. Он приехал к нам восемь лет назад и появился такой... ободранный и несчастный. На первых порах мы ему даже помогали. А потом он женился на местной немке, открыл небольшой бар, начал богатеть, открыл магазин, развелся с женой, женился во второй раз и теперь уже является владельцем двух магазинов.

— Значит, деловой человек, — кивнул Дронго.

— Очень деловой и пробивной, — согласилась Эмма, — и он близкий друг нашей семьи. Он всегда помогает нам и помнит о том, как мы его приютили восемь лет назад.

— У них есть дети?

— Пока нет. Они только год как поженились.

— А у сестры Германа Крегера?

— Двое мальчиков. Хотя ей только тридцать пять, что, по немецким меркам, совсем немного. Она вышла замуж, когда ей было двадцать семь. Здесь так принято. У нас в тридцать лет уже чувствуешь себя старухой, а в Германии только начинают жить...

— Интересно, а как чувствуете себя вы? — неожиданно спросил Дронго.

— Глубокой старухой, — призналась Эмма. — Я думала, что после разрыва с мужем смогу обрести прежнее чувство независимости и свободы. Но похоже, что я только обманывала себя. Во мне все еще говорят советские гены. Или казахстанские, я даже не знаю, как правильно сказать. Только после разрыва с мужем начинает казаться, что жизнь уже кончена, ничего хорошего впереди меня не ждет и я закончу свою жизнь где-нибудь в богадельне.

— Не напрашивайтесь на комплимент. Вы великолепно выглядите, на вас оглядываются мужчины. По немецким меркам, вы совсем юная фрейлейн, у которой все еще впереди.

— Надеюсь, — улыбнулась она, — может, поэтому я вас и остановила в Баден-Бадене, чтобы обрести прежнее чувство уверенности. Мне показалось, что рядом с таким мужчиной, как вы, я буду чувствовать себя уверенно.

— А вы чувствовали в доме своей старшей сестры себя не очень уверенно, — понял Дронго.

— Не очень, — согласилась Эмма. — К тому же там большой дом, доставшийся семье Крегеров по наследству. Вы, наверно, знаете, что во время взятия Берлина Потсдам почти не пострадал. И поэтому там проходило знаменитое совещание трех лидеров победивших стран. Ну и, разумеется, там сохранилось много нетронутых домов, оставшихся с начала двадцатого века. Один из таких домов и достался Крегерам. Хотя моей сестре он никогда не нравился. Она говорила, что в нем водятся привидения.

— Как зовут сестру Германа?

— Мадлен. Мадлен Ширмер по мужу. Хотя говорят, что в Казахстане ее называли Машей. Но она сама в этом никогда не признается.

— А где их отец?

— Умер три года назад. Ему было уже за семьдесят. Кровоизлияние в мозг. Он был бывшим спортсменом, неплохо выглядел, но получил инсульт и через несколько дней скончался, не приходя в сознание. Говорят, что у спортсменов подобные вещи случаются. Не знаю. Но после его смерти Марта изменилась не в лучшую сторону. Хотя я ее понимаю. Потеряла мужа и повесила себе на шею свою безумную сестру.

— Сестра никогда не была замужем?

— Не была. Старая дева. Наверно, на этой почве и тронулась. Только не считайте меня циником. Я видела ее фотографии в молодости, она была довольно привлекательной девушкой. Но, видимо, не сложилось. А сейчас ей уже за шестьдесят, и думаю, что теперь уже не сложится никогда. Она не буйная, тихая, но иногда происходят срывы, о которых она предпочитает не вспоминать.

— И поэтому вы решили взять меня с собой? Считаете, что я могу быть специалистом и по душевнобольным?

— Не уверена. Просто хочу, чтобы вы были рядом. Разве это так много? Между прочим, еду они заказали в русском ресторане Потсдама, думаю, что будет вкусно. Ой, уже восьмой час, и мы опаздываем! Представляю, как будет злиться Марта.

Эмма прибавила скорости, сворачивая в Потсдам. Почти двадцать лет назад здесь стояли воинские части советского контингента, и Дронго приезжал сюда. С тех пор прошло много лет, и Потсдам неузнаваемо изменился. Хотя ландшафт остался прежним, и в парковых зонах по-прежнему отдыхали не только берлинцы, но и гости, прибывающие в столицу Германии со всего мира.

— Приехали, — сообщила Эмма, мягко останавливая машину. — Только учтите, что мы знакомы с вами уже десять лет и вы мой старый знакомый по Казахстану. В конце концов, это ведь правда.

— Они могут обратить внимание на нашу разницу в возрасте, — напомнил Дронго. — Вам тридцать, и по возрасту я гожусь вам скорее в отцы, чем в друзья.

— А может, мне нравятся солидные холостяки намного старше меня, — предположила Эмма. — И вообще, перестаньте беспокоиться. Вы очень неплохо выглядите для своих лет. Подтянутый, не распускаете животик, следите за формой, почти не поседели.

— Зато полысел.

— Ничего. Это даже украшает мужчин. В общем, я представлю вас как своего друга. Только давайте без этой непонятной клички Дронго. Боюсь, что там просто не поймут, почему вас называют так же, как и птиц.

— Ничего, — ответил он, — можно просто Дронго. Меня обычно так называют.

— Хорошо, — согласилась Эмма, — пусть будет Дронго. Только скажите, что мы знакомы уже давно. Пойдемте. И не забудьте взять свой роскошный букет. Представляю, какое впечатление произведет он на Марту.

Дронго наклонился, чтобы достать букет. И услышал за спиной нетерпеливый голос:

— А раньше вы приехать не могли?

Глава 4

Они обернулись. Рядом стояла молодая женщина лет тридцати пяти. Короткая стрижка, выкрашенные в черный цвет волосы, недовольное лицо, длинный уточкой нос, маленькие глаза.

— Где ты была? — спросила по-немецки женщина. — Мы ждали тебя к шести часам, но Анна сказала, что ты поехала за своим другом в Берлин.

— Познакомьтесь, — представила своего спутника Эмма, — это господин Дронго, а это Мадлен Ширмер, сестра Германа.

Мадлен со строгим видом кивнула, не протягивая руки. Дронго церемонно поклонился. Мадлен осмотрела его с головы до ног, увидела роскошный букет цветов и ничего больше не сказала.

— Почему ты на улице? — спросила Эмма, переходя на русский.

— Жду Берндта, — недовольно ответила Мадлен, — он тоже опаздывает. Но в отличие от тебя у него были важные дела в банке, и он не мог раньше приехать. — Она упрямо говорила по-немецки.

— Я ездила в Берлин, — напомнила Эмма. Было понятно, что родственницы не очень любят друг друга.

— Идемте, господин Дронго, — предложила Эмма, направляясь к дому. Дронго пошел следом. — Какая дрянь! — сказала с чувством Эмма. — Она сама ждет своего банкира и из-за этого злится на нас. Вы видели, какие у нее злые глаза?

— Уже восьмой час, а муж не успевает на торжество к ее матери, — напомнил Дронго, — поэтому она и нервничает. Зять обязан быть более внимательным к своей теще.

— А он всегда такой. Холодный и расчетливый. Как все эти немцы, — с вызовом сказала Эмма. В ней явно бушевала кровь ее мамы.

Они подошли к массивному двухэтажному дому. Эмма позвонила. Ждать пришлось довольно долго, наконец дверь открылась. На пороге стояла женщина, похожая на Эмму. Только она была гораздо полнее, и волосы у нее были светлые. Очевидно, это была ее старшая сестра.

— Здравствуй, Эмма! — обрадовалась Анна. — Как хорошо, что вы так быстро приехали. Познакомь меня со своим другом.

— Это господин Дронго, о котором я тебе рассказывала, — сообщила Эмма, — а это моя старшая сестра Анна Крегер.

— Очень приятно. — Анна протянула руку, и Дронго, наклонившись, поцеловал ее руку.

Они оказались перед массивной лестницей. Но не стали подниматься наверх, а прошли направо, где у дверей их ждала пожилая женщина в темном платье, с аккуратно зачесанными седыми волосами. Мадлен была похожа на свою мать. Те же небольшие, глубоко запавшие глаза, такой же нос уточкой. Она строго посмотрела на пришедших.

— Вы опоздали, — по-русски она говорила гораздо лучше дочери. Сказывалась проведенная в бывшем Союзе большая часть жизни.

— Извините нас, — скороговоркой произнесла Эмма, — я ездила в Берлин за своим другом. Это фрау Марта, а это господин Дронго, мой старый знакомый.

Дронго протянул букет цветов.

— Рад вас поздравить.

— Спасибо, — сухо ответила Марта, забирая цветы, — проходите в комнату. Мы ждем моего зятя и скоро сядем за стол.

В просторной гостиной на первом этаже собрались гости. Эмма подвела Дронго к невысокому мужчине, который стоял у окна.

— Это Герман, муж моей сестры, — пояснила Эмма, — а это господин Дронго.

Герман был похож на мать и на сестру. Только глаза у него были совсем другими. Он протянул руку:

— Рад вас видеть, господин Дронго. Спасибо, что пришли к нам в такой день. Мы вам очень рады.

Эмма подвела гостя к мужчине, говорившему по телефону. Он был высокого роста, с длинной шеей, светлыми, словно бесцветными, глазами, уже начинающий лысеть. Это был Арнольд Пастушенко. Увидев подходивших, он убрал телефон в карман.

— Ты изумительно выглядишь, Эммочка, — сказал Арнольд, целуя молодую женщину. — А вот Леся что-то хандрит. У нее сегодня плохое настроение.

Стоявшая рядом Леся кивнула в знак приветствия. Она была такого же высокого роста, как Арнольд. Натуральная шатенка, она перекрашивалась в блондинку, и это было довольно заметно. Одета в брючный костюм темно-фиолетового цвета. Несмотря на свою молодость, она выглядела гораздо старше своих лет.

В глубине комнаты сидела женщина, казалось, погруженная в свои мысли. Она тоже была в темном платье, но волосы у нее были выкрашены в черный цвет. Дронго в который раз убедился, что кардинально черный цвет сильно старит женщину. Это была тетя Сюзанна. Она вяло кивнула гостям, даже не выслушав их приветствия.

— Кажется, Берндт решил проигнорировать юбилей своей тещи, — весело предположил Арнольд.

Из соседней комнаты выбежала девочка. Это была внучка именинницы и дочь Анны. Она подбежала к Эмме, которая, наклонившись, поцеловала ее. Девочка была высокая, полноватая, одетая в светлое платье. У нее были светлые волосы и темные глаза.

— Когда мы сядем за стол? — поинтересовалась девочка.

— Успокойся, Ева, — одернула ее мать. — Ты же видишь, что мы все ждем дядю Берндта и тетю Мадлен.

— Сколько мы будем ждать? — нетерпеливо спросила Ева.

— Недолго, — ответила Анна.

— Столько, сколько нужно, — строго произнесла Марта, входя в гостиную. — Берндт занятой человек, и он заранее предупредил нас, что сегодня опоздает. У них в банке проводится какая-то важная встреча.

— Да, он очень занятой человек, — не скрывая иронии, пробормотал Пастушенко, — и мы все будем ждать, когда наконец он соизволит здесь появиться.

— Не нужно шутить, молодой человек, — ледяным голосом произнесла Марта.

— Мы ждем Берндта? — подала голос ее сестра.

— Да, — ответила Марта, обернувшись к младшей сестре Сюзанне, — мы ждем Берндта и Мадлен. Ты что-то хочешь?

— Нет, — ответила Сюзанна, — мне ничего не нужно.

— Может, мы пока сядем за стол и просто побеседуем? — предложил Герман.

— Я уже сказала, что мы не должны торопиться, — напомнила его мать. — Это будет неправильно по отношению к Берндту. Я думаю, что не следует забывать, сколько он сделал для нашей семьи.

— Поэтому мы должны принимать его дома каждый день? — поинтересовался Герман. — И еще не забывать благодарить нашего благодетеля?

— Он всего лишь профессиональный банкир, — возразила мать, — в отличие от остальных, которые не всегда хорошо делают свое дело.

— Вы говорите обо мне? — явно обиделась Анна.

— Во всяком случае, хороших работников так часто не выгоняют, — жестко ответила Марта.

Анна вспыхнула, хотела что-то сказать, но промолчала.

— Зачем вы так говорите? — вступилась за сестру Эмма. — Вы же прекрасно знаете, что у них в организации было общее сокращение и их предприятие закрывается.

— Не нужно, Эмма, — попросила Анна.

— Но это правда, — настаивала Эмма. — С предыдущего места работы она ушла из-за девочки, чтобы проводить больше времени с ребенком.

— Для каждого промаха легко можно найти любое оправдание, — парировала Марта. — Давайте закончим эту тему. Я говорила о своем зяте и считаю правильным обратить внимание всех присутствующих на успехи этого молодого человека.

Анна отвернулась. Было заметно, что она с трудом сдерживает слезы.

— Я позвоню Берндту и узнаю, где он пропадает, — решил Пастушенко, доставая телефон.

В этот момент в дверь позвонили.

— Вот он и приехал, — кивнула Марта, посмотрев на свою невестку.

— Не надо выходить, Аня, — предложила Эмма, — я сама открою дверь. — Она выбежала из комнаты. Послышались ее торопливые шаги в коридоре.

Герман подошел к матери и что-то негромко сказал, очевидно, по-немецки. Она так же негромко ответила. Леся, наклонившись к мужу, что-то прошептала. Все услышали, как открылась дверь, потом были слышны женские голоса. Через минуту в гостиной появились Эмма и поднявшаяся с ней Мадлен.

— А где твой муж? — ровным голосом спросила Марта.

— Он задерживается, — пояснила Мадлен. — Позвонил и попросил нас уже садиться за стол. Он придет минут через сорок.

Марта нахмурилась.

— Он опять опаздывает? — спросила Сюзанна.

— Да-да, но он скоро будет, — нервно произнесла ее старшая сестра. — Давайте действительно сядем. Герман, приглашай гостей к столу. Я думаю, что мы можем наконец начинать.

Она села во главе стола. Справа от нее разместилась ее сестра, которую подвела к столу Мадлен. Она же и села рядом с тетей, оставив следующее место для своего супруга. С левой стороны от хозяйки дома сели Герман и Анна. Рядом устроилась их дочь. Дальше сели Эмма и сам Дронго. Напротив разместилась семейная чета Пастушенко.

— Калерия Яковлевна, мы собираемся начинать праздновать! — крикнул Герман, обращаясь, очевидно, к женщине, находившейся в соседней комнате-столовой, примыкающей к кухне. Оттуда неторопливо вышла пожилая полная женщина, которая несла поднос с тарелками. Подойдя к столу, она начала расставлять их.

— Мы заказали все в русском ресторане, — сообщил Герман.

— Ты мог бы этого не говорить, — заметила мать. — Мы прекрасно знаем, где вы обычно заказываете еду и питаетесь в этих ресторанах. Вы никак не можете отказаться от этих дурных привычек.

Анна тяжело вздохнула, но ничего не сказала. Ее дочь громко спросила:

— У кого дурные привычки? Почему бабушка так говорит?

— Я говорю, что нужно приучать себя к хорошей немецкой пище, если вы живете в Германии, — пояснила Марта, — а тебе пора уже говорить по-немецки. Тебе будет трудно жить в Германии, если ты будешь все время говорить по-русски и любить только русскую еду.

— Лучше есть немецкие сосиски с капустой? — ядовито поинтересовалась Эмма.

— Не нужно иронизировать, — поморщилась Марта. — Вы должны понимать, что нельзя все время жить одними воспоминаниями. Это касается не только моих детей, но и всех присутствующих.

— А мне нравятся немецкие сосиски с капустой, — с вызовом произнесла Мадлен, — и не нравятся русский борщ и ваши котлеты.

— Это украинские котлеты по-киевски, — вставил ее брат, — и не будем препираться.

— Препираются твоя жена и ее сестра, — ядовито сказала Мадлен. — И вообще лучше бы они помолчали, чтобы никого не раздражать.

— А тебе не нравится ужин, который мы заказали? — не выдержала Анна. — Может, нам лучше все выбросить и заказать еду в соседней пивной? Такие чудесные сосиски с тушеной капустой. Или свиную рульку. Тебе как раз нужно кушать свинину, чтобы поправиться. А может, нам еще принесут пива?

— Какое пиво? — спросила Сюзанна. — Почему вы все время спорите?

— Они живут в Германии и презирают немцев, — зло пояснила Мадлен. — Вот так, тетя Сюзанна, и происходит. Тебе тоже полезно знать об этих родственниках, которые так не любят все немецкое.

— Перестань, Мадлен, — поморщился ее муж, — это уже переходит всякие границы.

— Это твои родственницы переходят всякие границы, — огрызнулась сестра.

— Давайте наконец откроем бутылки и выпьем за здоровье нашей юбилярши, — вмешался Пастушенко, понявший, что этот спор может закончиться большим скандалом.

Он начал открывать бутылку. Мадлен отвернулась. Герман нахмурился. Их мать сурово обвела всех взглядом и спросила у Дронго:

— Насколько я поняла, вы югослав или итальянец? У вас такое необычное имя.

— Меня обычно так называют, — сообщил он.

— А чем вы занимаетесь? Тоже филолог, как Эмма?

— Нет, я работаю экспертом-аналитиком.

— Он финансовый аналитик, — вставил Пастушенко, — сейчас это самая модная профессия.

Дронго не стал возражать. Пастушенко наконец справился с бутылкой и, поднявшись, начал разливать вино.

— Я буду виски, — предупредила Мадлен.

— Как тебе не стыдно, — притворно вздохнул Пастушенко, — это настоящее немецкое вино. Ты столько говорила о любви к этой стране.

— Я буду виски, — упрямо повторила Мадлен, повышая голос.

— Как тебе будет угодно. — Он разлил вино по остальным бокалам. Наливая Сюзанне, взглянул на ее старшую сестру.

— Можно?

— Нельзя, — возразила Марта. — Алкоголь несовместим с ее лекарствами.

— А я люблю немецкое белое вино, — неожиданно сказала Сюзанна, дотрагиваясь до бокала.

— Тебе нельзя много пить, — отодвинула бокал Марта.

— Я хочу попробовать, — жалобно произнесла Сюзанна.

— Тебе лучше не увлекаться спиртным, — предупредила Марта.

— Только попробовать, — повторила Сюзанна.

— Хорошо, — согласилась Марта, — пригуби.

Пастушенко, обходя стол, прошел мимо Евы.

— А мне не налили, — надула губы девочка.

— Тебе нельзя, — сказал Пастушенко. — Но вместо вина я налью тебе пепси-колу.

— Не хочу пепси-колу, — закапризничала Ева, — хочу попробовать этого вина.

— Нельзя, — одернула ее мать, — тебе же сказали, что нельзя.

Пастушенко закончил обходить стол и поднял свой бокал.

— За нашу дорогую тетю Марту, — провозгласил он. — Ой, простите, за фрау Марту, которая, несмотря на свои годы, сохраняет стройную фигуру, ясность мыслей и темперамент.

Марта улыбнулась. Было заметно, как ей приятны эти слова.

— За тебя, мамочка, — подняла бокал Мадлен.

— Ты у нас самая умная и самая красивая, — поддержала ее Сюзанна.

— За твое здоровье, — сказал Герман.

— За вас, фрау Марта, — поддержала его Анна.

Марта благосклонно кивнула. Сюзанна попробовала вино и поставила бокал на столик.

— Не нужно было этого делать, — строго сказала младшей сестре Марта.

Та виновато опустила голову и ничего не сказала.

— Давайте, наконец, есть, — громко предложила Леся, — иначе мы сойдем с ума от голода. Я не ела с самого утра.

Застучали ножи и вилки. Калерия Яковлевна принесла новую порцию различных блюд.

— Очень вкусно, — похвалила Сюзанна.

— Это ресторанная еда, — заметила ее старшая сестра, — не нужно говорить, когда не знаешь.

— Ничего особенного, — скривила губы Мадлен, — обычная русская еда. Все эти столичные салаты, винегреты и селедка под шубой. Никогда не понимала, почему селедку с картошкой называют селедкой под шубой. Наверно, в этом есть какой-то непонятный смысл.

— Можно подумать, что ты не жила в Казахстане и не знаешь, что это такое, — снова не удержалась Эмма. — Первую половину жизни ты жила там.

— Я была школьницей, когда мы сюда переехали, — заметила Мадлен, — в отличие от вас. Вот ты действительно большую часть жизни прожила в Казахстане. И, наверное, твое любимое блюдо — это их бешбармак или какая-нибудь голова быка.

— У них замечательно отваривали головы баранов, — вспомнил Арнольд Пастушенко, — и еще я очень любил внутренности баранов. — Почки, печень... Это был такой потрясающий деликатес.

— Ты с ума сошел, — поморщилась его супруга. — Какие внутренности барана? Только этого не хватало. Неужели можно есть такую гадость?

— Этому его научили живущие в Казахстане турки-месхетинцы, — вспомнила Анна. — Я тоже думала, что это ужасно, но когда в первый раз попробовала — мне понравилось. Они как-то странно называли эту еду.

— Джыз-быз, — напомнил Пастушенко, — турки и азербайджанцы называли ее именно так. Я как-нибудь специально для Леси приготовлю эту еду, чтобы она попробовала.

— Никогда в жизни, — возмутилась Леся, — только этого не хватало. Есть такую гадость. Ни в коем случае.

— Ты ничего не понимаешь, — махнул рукой Арнольд, — когда попробуешь, тогда поймешь.

Раздался телефонный звонок, и Мадлен достала телефон.

— Он подъезжает, — сообщила она матери, — минут через десять будет здесь. Как раз успеет к горячему.

— Калерия Яковлевна, не торопитесь с горячим, — крикнул Герман, — подайте его минут через пятнадцать!

— Я так люблю эти котлеты по-киевски, — неожиданно произнесла Сюзанна, — как воспоминание о нашей совместной поездке в Москву. Ты

69

помнишь, Марта, как мы тогда вместе ездили в Москву?

— Не помню, — нахмурилась Марта, — это было очень давно. Столько лет с тех пор прошло. И эти котлеты совсем другие. Не такие, какие были раньше. Неужели ты этого не понимаешь?

Сюзанна часто заморгала. Было заметно, как ей обидно слышать эти слова.

— Настоящая мегера, — шепнула Эмма Дронго, наклонившись к нему. — Я начинаю жалеть, что вообще привезла вас сюда.

— Ничего, — сказал он, — мне даже интересно.

— Почему вы не рассказали им, какой именно вы эксперт? — поинтересовалась Эмма.

— Зачем? Здесь многим неинтересно слушать других. Они слушают и слышат только себя. Я подумал, что мне лучше просто промолчать.

— Слушают и слышат только себя, — повторила Эмма. — Вы даже не представляете, как вы правы.

Она не успела договорить, когда в дверь позвонили. Анна взглянула на Мадлен.

— Я думаю, что будет правильно, если ты сама пойдешь открывать дверь, — предложила она.

Мадлен, не сказав ни слова, поднялась и молча вышла из гостиной. Послышался шум открываемой двери.

— К нам опять приехали гости? — спросила Сюзанна.

— Это Берндт, — объяснила Марта, — муж Мадлен. Он вчера у нас был.

Никто из сидевших за столом не мог предположить, что появление Берндта Ширмера было последним актом перед трагедией, которая должна была здесь разыграться.

Глава 5

Берндт вошел в комнату, улыбаясь и радостно приветствуя собравшихся. Подошел к своей теще и поцеловал ее в щеку. Вежливо кивнул Сюзанне. Церемонно поздоровался с Анной, поцеловал в голову Еву. С мужчинами обменялся крепкими рукопожатиями. Это был типичный западноевропейский банкир. Среднего роста, модно постриженный, в великолепном темном костюме в тонкую полоску, галстук был повязан двойным американским узлом. Открытое, дружелюбное лицо, хорошая улыбка. Усевшись рядом со своей супругой, Берндт сразу поднял бокал и выпил за здоровье тещи. Она благосклонно кивнула. Казалось, что с его приходом мрачная обстановка дома развеялась и присутствующие стали относиться друг к другу гораздо терпимее.

Берндт плохо говорил по-русски, с большим акцентом. Но, учитывая обстановку, он говорил именно по-русски, чтобы его все поняли. Хотя было очевидно, что русский язык ему давался с трудом.

— Говорите по-немецки, — предложил Арнольд, — мы все понимаем.

— Он специально говорит по-русски, — пояснила Мадлен, — собирается поехать в Россию генеральным представителем «Дойче Банка», и поэтому совершенствует свой язык. Не беспокойтесь, он уже неплохо его выучил.

— Я стараюсь говорить много, чтобы лучше знать язык, — добавил Берндт. — Всегда полезно изучать языки и знать такой язык, как ваш русский.

— Между прочим, я не русский, — сообщил Пастушенко, — по отцу я украинец, а по матери чуваш. И жил всю жизнь в Казахстане, а потом на Украине. Поэтому к русским не имею никакого отношения. Вот у Леси мама русская, а у Анны с Эммой мама была наполовину русской. Просто вы, немцы, привыкли называть нас всех «русскими» без разбора.

— Наверно, вы правы, — вежливо согласился Берндт, — но таковы стереотипы восприятия всех бывших советских людей, которых на Западе традиционно называли «русскими».

— Карелия Яковлевна, мы все в сборе! — крикнул Герман.

— Сейчас несу, — сообщила она из кухни и через минуту уже появилась с очередными тарелками.

— Я помогу ей, — поднялась Анна и прошла на кухню.

На горячее подавали пожарские котлеты, запеченную рыбу и грудинку молодого ягненка, фаршированную грибами, луком, чесноком и кишмишем. Берндт от удовольствия не удержался от восторженного восклицания. Арнольд в знак согласия кивнул:

— Все сделано отлично.

— И мне понравилось, — неожиданно подала голос Сюзанна.

— Тебе вредно есть много мяса, — одернула ее старшая сестра. — И вообще на твоем месте я бы следила за соблюдением диеты.

— Я только попробовала, — возразила младшая сестра.

— Все равно не нужно так увлекаться, — голосом учительницы произнесла Марта.

— И мне тоже очень понравилось, — снова не удержалась Эмма. — Так вкусно. Спасибо Анне и Герману за то, что они организовали для нас такой стол. Только, тетя Марта, вы не говорите, что мне тоже пора садиться на диету.

Многие из присутствующих начали улыбаться. Даже Берндт оценил эту шутку. А вот его супруга нахмурилась и ничего не сказала. Марта тоже никак не отреагировала на эту шутку.

Герман пытался сдержаться, чтобы не рассмеяться, но тоже не выдержал и прыснул от смеха под неодобрительные взгляды своей матери и сестры.

Калерия Яковлевна вносила последние блюда из меню. Настроение у собравшихся было гораздо лучше, чем в начале ужина.

— Давайте выпьем за ваших детей, — предложил Арнольд Пастушенко. — Вы счастливый человек, фрау Марта. У вас двое мальчиков и две девочки. Я имею в виду не только ваших родных детей, Германа и Мадлен, но и Берндта с Анной, тоже ставших вашими детьми. И, конечно, трое ваших внуков, которыми вы можете гордиться. За ваших детей и внуков, дорогая фрау Марта!

Наверно, в другом сочетании хозяйке дома не могло понравиться сравнение ее родных детей с Анной. Но Берндта она готова была терпеть, не прибавляя туда Анны. Тем не менее она в знак согласия кивнула и подняла бокал вместе со всеми.

Пастушенко явно солировал, хотя никто его не выбирал тамадой. Следующий тост был за

Сюзанну, младшую сестру юбилярши, которую она так любит и опекает. Марта еще раз одернула Сюзанну, когда та попыталась что-то добавить.

— Они все время живут вместе? — уточнил Дронго, наклоняясь к Эмме.

— Да, втроем.

— Почему втроем?

— Марта, ее сестра и Калерия Яковлевна, — тихо пояснила Эмма. — Никто другой, кроме Калерии, здесь бы долго не продержался. Она плохо слышит и настолько флегматична, что может выдержать эту старую сволочь.

— Кажется, кроме дочери и зятя, ее здесь никто не любит, — шепотом заметил Дронго.

— Это большое преувеличение, — сдерживая смех, сказала Эмма. — Они ее тоже не очень любят. Ее вообще никто по большому счету не любит. Даже ее собственные внуки.

Марта, словно услышав ее слова, подняла свой бокал. Обвела всех долгим взглядом. У этой женщины был острый взгляд и твердый характер. Дронго подумал, что ее не могут любить все собравшиеся. Марта посмотрела и на него.

— Я хочу вас всех поблагодарить за то, что вы решили приехать ко мне, — строго сказала она. — Спасибо Герману, который привез свою семью из Кельна, спасибо Берндту, который нашел время навестить меня вместе с Мадлен. Спасибо всем остальным, которые решили здесь собраться.

— Обратите внимание, — прошептала Эмма, — кроме своего сына и дочери, она назвала только своего любимого зятя. У этой дамочки железный характер.

— Я уже понял про их напряженные отношения с невесткой, — сказал Дронго. — Судя по всему, вашей сестре повезло, что она живет от свекрови на некотором расстоянии.

— Расстояние слишком короткое, — со вздохом сказала Эмма, — только четыре часа на железнодорожном экспрессе, которое очень быстро преодолевается в случае необходимости.

— Зачем вы меня сюда позвали? — спросил Дронго.

— Мне важно, чтобы вы были со мной. Не знаю, почему, но я не хотела сегодня сидеть здесь одна. Представляю, сколько язвительных замечаний я бы услышала от Марты, если бы появилась одна. Она и так все время доводит мою сестру замечаниями из-за того, что мы не можем ужиться с местными немцами. При этом себя она считает стопроцентной немкой, словно она родилась здесь, а не в Советском Союзе.

— В таком случае вы нашли плохого кавалера, — возразил Дронго. — Я вообще не немец и не европеец. Хотя они считают меня то ли итальянцем, то ли югославом.

— Это из-за вашего необычного имени, — сказала Эмма. — А вообще вы действительно очень похожи на итальянца. Разве вам об этом не говорили?

— Много раз, — признался Дронго, — очевидно, потому, что у меня жена итальянка. Наверно, со временем мы становимся похожими друг на друга.

— Итальянец даже лучше немца, — призналась Эмма, очаровательно улыбнувшись. — Во всяком случае, вы производите очень хорошее впечатление. Солидный мужчина в возрасте, который решил стать моим другом. Совсем неплохо для опровержения теории Марты о том, что женщины из нашей семьи не умеют ладить с европейцами.

— И только поэтому вы меня сюда позвали? — недоверчиво спросил Дронго.

— Не только, — ответила Эмма. — Мне нужно было почувствовать себя в безопасности. Каждый раз, когда я прихожу в этот дом, я ощущаю себя как-то странно. Говорят, что в тридцатые годы здесь была явочная квартира гестапо. Но после войны этот уцелевший дом достался родственнице Марты. Через шестнадцать лет после войны она поехала навестить своих друзей в Западном Берлине и осталась у них ночевать. А вернуться уже не смогла — вокруг начали возводить стену, которая разделила город и не позволила ей попасть обратно домой. Она осталась в Западном Берлине на целых двадцать восемь лет, а ее бесхозный дом достался агентам «Штази», которые тоже устроили здесь свою явочную квартиру. Вот такой невероятный парадокс. В тридцатые годы здесь работали гестаповцы, а в шестидесятые-восьмидесятые — агенты «Штази». Ну а потом дом вернули владелице, и она, умирая, завещала его своим родственникам. Вот так Марта оказалась владелицей этого странного дома. Ведь до этого они жили с сестрой в небольшой квартире на окраине Кельна. А уже потом переехали сюда.

Пастушенко поднял свой очередной тост за присутствующих женщин и предложил мужчинам выпить стоя. Все мужчины поднялись. После последнего тоста начали убирать со стола, и Калерия Яковлевна объявила, что скоро принесет торт и кофе.

— Мы заказали специальный торт для фрау Марты, — объявила Анна. — Сейчас его принесут.

— Какой торт? — недовольно спросила Мадлен. — Ты же знаешь, что мама не ест сладкого.

— Это специальный торт с шестьюдесятью пятью свечами, — пояснила Анна. — Мы думали, что твоей маме будет приятно.

— Ей будет приятно, когда вы перестанете ее нервировать, — прошипела Мадлен. — Жаль, что ты до сих пор этого не поняла.

— Дура! — разозлилась Анна, отходя от своей родственницы.

Мадлен побледнела, но не посмела устроить скандал. Герман и Арнольд вышли курить в коридор. Некуривший Берндт подошел к окну. Он о чем-то весело говорил с Лесей, супругой Пастушенко. Эмма, увидев состояние своей старшей сестры, подошла к ней, чтобы ее успокоить. Анна с трудом сдерживала слезы.

Марта наклонилась к Сюзанне.

— По-моему, тебе пора возвращаться в свою комнату, — сказала она, обращаясь к младшей сестре.

— Я хочу еще немного побыть тут, — возразила Сюзанна.

— Тебе хватит, — настойчиво произнесла Марта. — Будет лучше, если ты отправишься к себе.

— Нет, я хочу посидеть, — упрямо повторила Сюзанна.

— Тебе нельзя долго сидеть, — повысила голос Марта.

Все обернулись, посмотрев на двух сестер. У Сюзанны глаза начали наполняться слезами. Марта прикусила губу, потом нехотя сказала:

— Успокойся и не нервничай. Все будет хорошо. Можешь еще немного посидеть с нами.

Сюзанна, соглашаясь, даже попыталась улыбнуться. Марта взяла младшую сестру за руку и негромко что-то сказала. Мадлен покачала головой.

— Тетя Сюзанна еще вчера чувствовала себя плохо, — напомнила она матери.

Берндт подошел к Дронго.

— Мадлен сказала мне, что вы финансовый эксперт, — спросил он. — Вы работаете в банке или в какой-нибудь инвестиционной компании?

— Нет, — ответил Дронго, — меня просто не так поняли. Я эксперт по вопросам преступности.

— Налоговой преступности? — быстро уточнил Берндт.

— Вообще преступности, — пояснил Дронго.

— Борьба с отмыванием денег. — Мозги у банкира работали только в этом направлении, словно не было других видов преступлений.

— И по этим вопросам тоже, — уныло согласился Дронго. Он уже начинал жалеть, что согласился на уговоры своей случайной знакомой и решил приехать в этот дом с таким мрачным прошлым и неопределенным будущим, где семейные узы держались на ненависти и недоверии.

— У нас создана целая структура для борьбы с разного рода преступлениями в финансовой сфере, — сообщил Берндт, — об этом есть подробная информация на сайте нашего банка. Мы ведь работаем сейчас особенно плотно с банками из Восточной Европы, а там подобные случаи возникают довольно часто.

— А разве в Западной Европе подобных случаев бывает меньше? — весело уточнил Дронго.

— У нас строгие законы и отлаженные финансовые регуляторы, — пояснил Берндт, — поэтому подобные махинации в наших странах не проходят. Мне рассказывал один из наших экспертов, что даже банки и инвестиционные компании в Греции давали часто неверную информацию. Как видите, от этого соблазна не смогли уберечься даже банки Западной Европы. Может, поэтому у них такой катастрофический долг. В Германии подобное было бы немыслимо.

Послышался звон опрокинутого бокала. Девочка испуганно вскрикнула. Это она задела рукой бокал, который опрокинулся и разбился.

— Я не нарочно, — прошептала испуганная Ева.

— Нужно быть внимательнее и осторожнее, — громко сказала бабушка. — В твоем возрасте пора уже знать, как нужно вести себя за столом. Не нужно забывать, что порядочные немецкие дети знают, как вести себя в обществе.

Ева всхлипнула. Анна бросилась на помощь дочке.

— Зачем вы так говорите! — нервно произнесла она. — Вы же видели, что она задела бокал нечаянно. Разве можно так обижать ребенка?

— Я ее воспитываю, а не обижаю, — возразила Марта. — Делаю то, что не сделали родители. В конце концов, вы обязаны понимать, что ваша дочь уже не вернется жить в Казахстан или в Россию, а должна будет жить в этой стране и быть образцовой немецкой девочкой. Не представляю, как она будет общаться со своими сверстниками в школе, если до сих пор правильно не может разговаривать по-немецки.

— Она понимает по-немецки, — поправила Эмма.

— Не нужно вмешиваться, — строго проговорила Марта, — это моя внучка, и я знаю, как нужно воспитывать немецких детей, чтобы они могли быть примером для всех остальных. К сожалению, в этой девочке сказывается кровь ее другой бабушки.

— При чем тут моя умершая мама? — резко спросила Анна.

Ева, понимая, что скандал начался из-за разбитого бокала, расплакалась. Анна обняла дочку, пытаясь ее утешить.

— Почему она плачет? — растерянно спросила Сюзанна.

— Она разбила бокал и чувствует свою вину, — пояснила Марта. — А вас, Эмма, я попрошу никогда не вмешиваться в мои разговоры с внучкой и с моей невесткой. В конце концов, я имею право делать им обеим замечания на правах старшей родственницы.

— Вы неправильно понимаете роль бабушки, — не выдержала Анна.

Наступило неловкое молчание. В гостиную вернулись Герман и Арнольд. И в этот момент Калерия Яковлевна, выйдя из столовой, подозвала к себе Германа. Тот подошел к ней, выслушал ее слова и, кивнув, прошел к выключателю. Погас свет. Все замерли. Даже Ева перестала плакать. И тогда Калерия Яковлевна вкатила большой торт со свечами, которые должна была загасить именинница. Все захлопали, зашумели.

— Туши свечи, — предложил Герман своей матери.

Она не двинулась с места.

— Твоя супруга считает, что я неправильно понимаю роль бабушки, — резко проговорила Марта, — и вообще влезаю не в свое дело, пытаясь воспитать из девочки хорошего человека.

— Этого я не говорила, — попыталась оправдаться Анна.

— Помолчи, — прервала ее Марта. — Может, теперь по твоей милости я не должна разговаривать и со своим сыном?

— Мама, сейчас не время и не место ссориться. Этот торт для тебя заказала Анна. Ты должна задуть свечи.

— Я не хочу подходить к этому торту! — отрезала Марта. — Калерия, ты можешь унести его обратно.

— Так нельзя, — попытался вмешаться Герман.

— Калерия, ты слышала, что я тебе приказала? Хватит с меня их тортов! — заявила Марта.

Калерия Яковлевна замерла, глядя на Германа и не зная, как поступить.

— Нужно задуть свечи, — неожиданно в темноте раздался голос Сюзанны. Она поднялась, подошла к торту и, наклонившись над ним, начала задувать свечи по одной. Все молчали, пораженные этим зрелищем. Когда потухла последняя свеча, они еще несколько секунд пробыли в темноте, а затем кто-то включил свет.

— Ты напрасно это сделала! — громко произнесла Марта. — В следующий раз будет лучше, если ты спросишь у меня разрешение.

— Ей уже давно пора спать, — поддержала мать Мадлен. — Я думаю, что нам пора заканчивать празднование юбилея.

— Давайте выпьем еще раз за нашу хозяйку, чтобы она жила еще сто лет, — лицемерно предложил Пастушенко среди всеобщего неприятного молчания. Он взял бутылку шампанского и снова начал обход гостей, наливая каждому в высокие бокалы. Перед каждым из гостей стояли два бокала и один стакан. Сказывалось пристрастие хозяйки дома к некоему показному аристократизму. Выросшая в бараке североказахстанского лагеря для членов семей врагов народа, Марта любила этот большой особняк и требовала, чтобы перед каждым из гостей выставлялось определенное количество посуды и бокалов.

— Нельзя мешать вино и шампанское, — заметила Анна.

— Мы только выпьем напоследок за фрау Марту, — сказал Арнольд, — в конце концов, это даже обидно, что здесь останется шампанское, которое мы не выпьем за здоровье и долголетие хозяйки дома.

— Не думаю, что все присутствующие так желают мне долгих лет жизни, — криво усмехнулась Марта.

— Давайте выпьем за Марту, — неожиданно согласилась ее младшая сестра.

— За ваше здоровье, фрау Марта! — поднял бокал Арнольд, возвращаясь на свое место.

— За тебя, мама, — подошла к ней Мадлен.

Марта нехотя подняла свой бокал.

— Арнольд, вы все опять перепутали, — сказала она. — Вы мне почти не налили вина. А у моей сестры опять полный бокал. Ей нельзя столько пить.

— Извините, — пробормотал Пастушенко, подбежав с бутылкой и доливая шампанское в бокал хозяйки дома.

— Будем считать, что я согласилась выпить за ваш тост, — сказала Марта, поднимая свой бокал и чокаясь со своей дочерью. Затем она выпила шампанское. — Хорошее шампанское всегда бывает немного кисловатым, — убежденно произнесла Марта.

Она обернулась, словно в поисках своего стула, и тяжело опустилась на него.

— Кажется, у меня болит сердце, — призналась Марта.

— Это все из-за переутомления, — убежденно сказала Мадлен. — Мы скоро уйдем, а тебе нужно будет немного полежать и отдохнуть. И нашей тете Сюзанне тоже следует отдохнуть. Вчера она была в очень плохом состоянии.

— Нет, — возразила Сюзанна, — я чувствую себя нормально.

— Кажется, мне понадобится врач, — вдруг сказала Марта. — У меня сильно кружится голова.

Она поднялась со стула, пошатнулась.

— Что с тобой? — спросила испуганная дочь.

— Не знаю. — Марта обвела всех каким-то странным, невидящим взглядом и, ни с кем не прощаясь, повернулась, чтобы выйти из гостиной. Спальни в этом доме находились на втором этаже. Все молча следили за ней. Она сделала шаг, другой, третий... Затем обернулась.

— Не понимаю, что со мной происходит. — Женщина внезапно пошатнулась и начала оседать на пол.

— Мама! — закричала Мадлен, бросаясь к Марте.

Та упала буквально ей на руки. К ним бросился Берндт. Он поднял потерявшую сознание тещу и понес на диван. Положив ее, сказал супруге:

— Нужно срочно вызвать «Скорую помощь».

— Можно я ее посмотрю? — предложил Дронго.

— Разве вы врач? — спросил Берндт.

— Нет, конечно. Но я могу понять по симптомам, что именно с ней произошло. Возможно, она отравилась.

— Она почти ничего не ела, — возразил Берндт.

Дронго подошел поближе, взял руку женщины, пытаясь нащупать пульс. Он еле прощупывался. Сыщик заглянул женщине в лицо, потом снова поднял ее руку. Секунды тянулись томительно и медленно. Пульса не было, в этом не оставалось никаких сомнений. Он еще раз попытался встряхнуть ее руку, затем прислушался. Все было напрасно.

— Нужно срочно делать массаж сердца! — крикнул Дронго. — У нее исчез пульс.

— Что вы говорите? — испугалась Анна. — Как это может быть?

Подбежал Герман и стал пытаться как-то помочь матери. Дронго, не доверяя своим ощущениям, приложил голову к ее груди, пытаясь услышать стук сердца. И ничего не услышал. Неужели такое возможно?

— Что делать? — спросил Герман.

— Ничего, — ответил Дронго. — Кажется, уже ничего нельзя сделать. Она умерла.

— Нет! — раздался истошный крик Мадлен. — Мамочка моя, этого не может быть!

Глава 6

Все стояли потрясенные. Даже маленькая Ева замерла, понимая, что происходит нечто непонятное и страшное. Мадлен, оттолкнув брата, бросилась к матери и попыталась приподнять голову Марты. Но все было уже бесполезно — Марта умерла.

— Звоните в «Скорую помощь», — крикнула Мадлен, — может, мы сумеем ее спасти!

Берндт достал телефон и начал набирать номер. Все молчали, напуганные смертью женщины. Словно Марта была так страшно наказана за свой грех гордыни и неумение общаться даже с близкими родственниками или находить с ними общий язык. Берндт быстро назвал адрес и имя Марты, чтобы приехали врачи. Убрал телефон и посмотрел на Дронго.

— Вы говорили про массаж сердца, — напомнил он.

— Это уже бесполезно, — возразил Дронго, — ей ничего не может помочь.

— Что с ней могло случиться? — поинтересовался Берндт.

— Не знаю. Я пока ни в чем не уверен. Возможно, сердечный приступ. Или кровоизлияние в мозг. Хотя симптомы бывают несколько другими. Пока ничего определенного сказать не могу. Точно скажут врачи. Но она умерла, в этом нет никаких сомнений.

— Говорите тише, — попросил Берндт, оглядываясь на свою супругу. — Ей лучше не слышать этих слов.

— Что случилось с бабушкой? — спросила Ева.

Все присутствующие смотрели на девочку, понимая, что ее нужно отсюда увести. Молчание длилось несколько неприятных секунд.

— Уведи ее, — попросил Герман, обращаясь к жене. — Ей лучше подняться в спальню. И вместе с тобой.

Анна кивнула. Она наклонилась к Еве, уговаривая ее пойти вместе с ней. И затем с дочерью вышла из гостиной.

— Что с ней случилось? — дрожащим голосом спросила Сюзанна.

— Ничего страшного, тетя, — сказал Герман, обращаясь к ней, — мама просто потеряла сознание. Сейчас я попрошу, чтобы тебя увели. Тебе нужно отдохнуть.

— Она спит? — уточнила Сюзанна.

— Да-да, конечно, спит, — ответил Герман. — Эмма, может, ты поднимешься вместе с тетей Сюзанной в ее комнату. Она должна отдохнуть и успокоиться.

— Конечно. — Эмма подошла к Сюзанне и наклонилась к ней, уговаривая ее пойти вместе с ней. Через минуту они вдвоем вышли из гостиной.

— А вы, Калерия Яковлевна, унесите торт, — продолжал командовать Герман. — И дождемся, когда наконец приедут врачи.

— Нужно что-то делать, — крикнула Мадлен, — нельзя так сидеть и смотреть, как она умирает!

— Это не тот случай, когда мы своей самодеятельностью можем ей чем-то помочь, — возразил Дронго.

— Вам не кажется, что вы слишком спокойны? — разозлилась Мадлен. — Хотя вы правы. Это же не ваша мать, а моя.

— Вы хотите, чтобы я соврал? — поинтересовался Дронго. — Я говорю вам, что это не тот случай, когда мы можем ей помочь. И врачи, к моему большому сожалению, тоже ничего не сумеют сделать.

— Не говорите так! — закричала от ужаса Мадлен.

— Она права, — поддержала ее Леся. — Не нужно ничего говорить до приезда врачей.

Дронго промолчал. Меньше всего ему хотелось спорить. Вместо этого он подошел к столу, достал носовой платок и взял бокал, из которого пила Марта. На нем не было никаких отпечатков пальцев. Он понюхал оставшуюся жидкость. Никаких резких запахов. Так ничего невозможно сказать. Он осторожно поставил ее бокал на место. Конечно, нужно будет проводить комплексную экспертизу. Провести вскрытие и проверить жидкость в этом бокале. Если ей помогли умереть, то эксперты быстро найдут подтверждение этой дикой версии. Хотя последним человеком, с кем она общалась и даже чокнулась, была ее дочь. Дронго взглянул на убитую горем Мадлен. Она как будто сразу постарела. Или ему так кажется?

— Успокойся, Мадлен, — попросил ее муж. — Успокойся. Мы вызвали врачей, они должны приехать с минуты на минуту. Пусть они посмотрят, чем именно можно помочь твоей матери.

— Уже ничем, — отмахнулась Мадлен, — они добились своего.

Она не сказала, кто именно, но всем было ясно, что она говорит о сестрах Анне и Эмме Вихерт. Даже Герман сообразил. Он нахмурился и отвернулся, чтобы не спорить со своей сестрой.

У входной двери позвонили, и Герман поспешил выйти из гостиной, чтобы открыть гостям двери. В комнату вошли двое врачей. Один был постарше, лет пятидесяти. Его помощнице было лет тридцать пять. Они деловито подошли к лежавшей на диване Марте, начали проверять пульс, попытались наладить работу сердца, достали аппарат для кардиограммы. В какой-то момент женщина взглянула на врача и покачала головой. Это был тот случай, когда они были бессильны помочь Марте.

— Сколько минут назад перестал прослушиваться пульс? — поинтересовался пожилой врач.

— Минут десять-двенадцать, — ответила Мадлен. — Сразу, как только она почувствовала себя плохо. Выпила вино или шампанское...

— Это было шампанское, — подал голос Арнольд. — В последний раз я разливал всем шампанское.

— Где ее бокал? — спросил врач.

Арнольд показал на бокал. Врач подошел к нему, наклонился, понюхал. Не дотрагиваясь до бокала, внимательно его осмотрел и взглянул на Дронго.

— Она выпила вино и сразу упала в обморок? — поинтересовался врач.

Дронго его не понял. Он посмотрел на Берндта, который пришел ему на помощь, ответив врачу:

— Не совсем. Она выпила вино, что-то сказала на прощание и потом неожиданно пошатнулась и начала оседать на пол. Мы перенесли ее на диван и вызвали вас.

— Похвальная оперативность, — пробормотал врач, — но вы должны нас понимать. Думаю, что здесь нужно было вызывать в первую очередь криминальную полицию, а уже затем нас — для экспертизы.

— Ей нельзя помочь? — спросила Мадлен.

— Нет, — безжалостно ответил врач. — Ей уже невозможно помочь. Даже если мы попытаемся пересадить ей сердце и печень. У нас просто ничего не получится. Волшебство не по нашей части.

Он достал телефон.

— Что вы делаете? — спросил Берндт.

— Звоню в полицию, — пояснил врач. — Я полагаю, что они должны приехать и зафиксировать смерть фрау Марты Крегер.

Берндт оглянулся на супругу. Мадлен отвернулась, чтобы никто не увидел ее лица. Врач дозвонился до полиции, сообщил о подозрительной смерти госпожи Марты Крегер и попросил кого-нибудь приехать.

— Вы думаете, что ее убили? — спросила Мадлен.

— Не знаю, — признался врач, — пока не знаю. Но я обязан предположить и такой вариант. Разве раньше она жаловалась на сердце?

— Нет, никогда.

— Вот видите. По-моему, она отравилась. Вам не следует ничего трогать.

— Зачем нужно сразу вызывать полицейских? — недовольно спросил Арнольд. — Вы даже не знаете, что именно с ней случилось, а уже сразу звоните в полицию. Это была пожилая фрау — шестидесяти пяти лет. Сегодня она много нервничала, переживала, выпила вино. Сейчас выпила шампанское. Понятно, что спиртное могло ударить ей в голову или оказаться для нее слишком сильным напитком. Почему сразу нужно предполагать нечто плохое?

— Она умерла, — напомнил врач, — и у меня есть основания думать, что она отравилась. В любом случае факт такой смерти должен быть зафиксирован сотрудниками полиции, прежде чем я увезу ее к нам в морг. Мы проведем вскрытие.

Герман поморщился:

— Без этого нельзя обойтись?

— Ни в коем случае, — ответил врач. — Вам просто не разрешат ее похоронить, если мы точно не установим причины ее смерти.

Герман нахмурился. Дронго, понимавший разговор лишь отчасти — по выражениям лиц говоривших, подошел к нему.

— Что происходит? — спросил он у Германа.

— Врач вызвал полицию и собирается увезти тело матери в больницу для вскрытия, — мрачно пояснил тот.

— Это стандартная процедура, — с печальным видом согласился Дронго. — Примите мои соболезнования, но врач прав. Мне кажется, что в любом случае нужно узнать, от чего именно она умерла.

В комнату вошла Эмма. Она взглянула на собравшихся. Подошла к Герману, стоявшему рядом с Дронго.

— Что сказал врач?

— Вызвал полицию и собирается увезти ее для вскрытия, — повторил Герман.

Эмма оглянулась, посмотрела на стоявшую к ним спиной Мадлен и обратилась уже к Дронго:

— Они, наверно, думают, что Марту убили. Возможно, вы что-нибудь сделаете?

— В каком смысле?

— Это же ваша профессия. Вы известный сыщик. Может, вы поможете врачу и скажете ему, что именно здесь произошло. Если ее убили, значит, убийца еще находится в нашем доме. Отсюда никто не выходил.

— Я знаю. Но мы потушили свет, и любой из присутствующих мог незаметно положить яд в ее стакан.

— Не нужно так говорить, — попросила Эмма, — это просто ужасно. Получается, что ее убил кто-то из присутствующих. Но здесь не было посторонних.

— А вы считаете, что ее любили все родственники? — спросил Дронго.

— Нет, — ответила Эмма, стараясь не смотреть в сторону лежавшего на диване тела Марты. — Думаю, что не все. Уверена, что не все. Но никто бы не решился на такое ужасное преступление.

— И тем не менее врач считает, что здесь могло произойти убийство. Или она сама отравилась.

— Это скорее похоже на правду, — пробормотала Эмма, — хотя она была очень здоровой женщиной, и я никогда не слышала, чтобы она принимала какие-нибудь таблетки.

— Вы только подтверждаете версию врача о возможном отравлении. Дочь сказала, что у нее было здоровое сердце.

— Правильно сказала. Я была уверена, что она переживет всех нас. Какой кошмар! Значит, кто-то мог нарочно положить яд в ее бокал.

— Похоже на это?

— Но здесь не было никого из посторонних, — растерянно повторила Эмма.

— Разве? Здесь было столько людей, — напомнил Дронго.

— Не так много, — упрямо возразила Эмма. — Если исключить ее детей, ее сестру, Калерию Яковлевну, которая живет с ними много лет, то остаемся только мы с вами и Анной. И еще семья Пастушенко. Только пять подозреваемых.

— Тогда не забудьте и Берндта.

— Он был любимым зятем Марты, — тихо произнесла Эмма.

— В данном случае это не алиби.

— Что вы такое говорите?

— Здесь было вместе с ней двенадцать человек, — напомнил Дронго. — Осталось одиннадцать подозреваемых.

— Девочку вы тоже считаете?

— Я говорю обо всех, кто здесь был. Девочка, разумеется, не может быть убийцей, которая так четко и тщательно может спланировать преступление. Но она могла быть случайным свидетелем или случайным убийцей. В моей практике иногда происходили подобные вещи.

— Я все время забываю, с кем имею дело, — мрачно сказала Эмма. — Как вам не стыдно? Неужели действительно в число этих подозреваемых вы включаете еще и маленькую Еву?

— Конечно. Остается одиннадцать человек, каждый из которых мог намеренно или случайно положить яд в бокал Марты.

— Господи, неужели вы такой циничный? Разве можно подозревать ее собственных детей или младшую сестру, кого она опекала всю жизнь, в таком преступлении? Посмотрите, как переживает Мадлен. На ней лица нет. Я, конечно, ее всегда терпеть не могла, но она искренне любила свою мать, в этом я никогда не сомневалась. Между прочим, они были с ней очень близки. Она была копией своей матери.

— Если отсекать людей таким образом, то самый реальный кандидат на убийство Марты — это я, — сказал Дронго. — Я единственный из гостей, кто не знал хозяйки дома, случайно оказался здесь, являюсь специалистом подобного рода проблем и...

Эмма терпеливо ждала.

— ... И вашим другом, — сказал он слова, которые она ждала.

— Последний фактор тоже не в вашу пользу? — спросила Эмма.

— Не в мою, — ответил он. — Вы тоже не были среди горячих поклонниц хозяйки дома.

— Ну и что?

— Значит, вы могли нарочно пригласить меня в этот дом и даже нанять в качестве своеобразного киллера. Я ведь был единственным специалистом по такого рода проблемам и поэтому вполне мог убрать Марту, чтобы сделать одной из главных наследниц вашу старшую сестру.

— Хорошо, что вас не слышат сотрудники полиции, — покачала головой Эмма. — Вы уже готовы подозревать всех, даже маленькую девочку, а меня считаете главной подозреваемой. И не пожалели даже себя.

— Я профессиональный эксперт-аналитик, — напомнил Дронго, — и всю свою жизнь занимаюсь подобными расследованиями. Из моего опыта мне хорошо известно, что подозреваемых может быть много, но конкретный виновник обычно тот, кого никто раньше не подозревал. Так бывает часто.

— И даже шестилетняя девочка?

— Ее можно использовать, попросив ради шутки бросить какой-то волшебный порошок в бокал бабушки, — предположил Дронго. — Конечно, вероятность подобного крайне мала. Да и девочка не смогла бы в темноте подойти к бокалу бабушки. Но вспомните, что она опрокинула один бокал как раз перед тем, как потух свет.

— Так можно привязать любой жест или любые слова к смерти Марты. А если у нее инфаркт? Вы можете гарантировать, что мы не будем выглядеть болванами? Все-таки ей было шестьдесят пять.

— Не похоже, чтобы смерть наступила в результате инфаркта, — возразил Дронго, — поэтому врач вызвал полицию. Он тоже не поверил в ее внезапную смерть от инфаркта. Здесь произошло нечто иное, и боюсь, что это было отравлением.

— Учитывая, что я привела сюда специалиста по тяжким преступлениям, упросив его прийти со мной в этот дом, то главным подозреваемым буду именно я? — спросила Эмма.

— Только в том случае, если это возможное убийство совершил именно я. А я точно знаю, что его не совершал, — ответил Дронго.

— Нужно, чтобы еще нам поверили сотрудники полиции, — напомнила Эмма.

— И сотрудники прокуратуры, — кивнул Дронго. — Но это уже на их усмотрение. Хотя боюсь, что завтра мне не разрешат покинуть Берлин и попросят задержаться в городе еще на несколько дней, чего я никак не планировал.

— Простите. Кажется, я втянула вас в неприятную историю.

— Ничего. Теперь уже поздно об этом сожалеть. Я сам сделал свой выбор. А заодно и познакомился с такой интересной молодой женщиной, как вы.

— Спасибо, что вы еще способны делать комплименты, — усмехнулась Эмма. — Я думаю, что если бы вы сейчас меня задушили, то поступили бы правильно.

Вдруг раздалась трель звонка у входной двери. Испуганная Калерия Яковлевна поспешила открыть дверь. Через минуту в гостиную вошли сразу четыре человека. Выделялись двое. Один был в форме майора полиции, другой — в штатском. Первый был руководителем бригады Вольфгангом Нерлингером, а второй — сотрудником прокуратуры Юргеном Менцелем. Первый был чуть выше среднего роста, плотный, коренастый, темноволосый, с резкими чертами лица. Второй — в очках, уже начавший лысеть. Обоим было лет по тридцать пять. Все прибывшие сразу обступили тело погибшей и стали осматривать его. Мадлен снова не выдержала и разрыдалась на плече у своего мужа.

— Бедная мама, — все время повторяла она, — бедная мама!

Берндт пытался ее успокоить. Герман тяжело вздохнул. Он не знал, как именно ему следует поступать в таком случае. Поэтому он встал и подошел к дивану, словно готовый выстоять некую почетную вахту рядом с телом своей матери.

Один из прибывших оказался медицинским экспертом, и он о чем-то негромко переговаривался с врачом «Скорой помощи». Нерлингер осмотрел собравшихся.

— Кто здесь был в момент ее смерти? — уточнил майор.

— Все, — ответил Герман. — Мы отмечали наш семейный праздник. Шестидесятипятилетие моей матери.

— Это она? — поинтересовался Нерлингер.

— Да, — кивнул Герман.

— Отсюда кто-нибудь выходил? — спросил майор.

— Нет. Мы все оставались в доме, — пояснил Герман. — Все, кто здесь сейчас находится.

— И больше никого?

— Была еще ее младшая сестра. Фрейлейн Сюзанна. Она плохо себя чувствует и поднялась наверх.

— Вы можете ее попросить вернуться?

— Конечно. Но я бы не рекомендовал вам этого делать.

— Почему? — не понял Нерлингер.

— Она плохо себя чувствует.

— Это я понимаю. Из-за убийства своей старшей сестры?

— Нет. Я думаю, что она не совсем осознала, что именно здесь произошло.

— И поэтому отсюда ушла? — раздраженно спросил инспектор.

— Не поэтому. Она не совсем адекватный человек. В какие-то моменты она бывает абсолютно нормальной, а в какие-то — уходит в другую реальность. Вы меня понимаете?

— Пытаюсь, — пробормотал Нерлингер. — И больше здесь никого не было?

— Были. Еще моя жена с маленькой дочкой. Они тоже поднялись наверх, чтобы не пугать девочку видом умершей бабушки.

— Слишком много людей отсюда вышло до нашего приезда, — пробормотал инспектор, обращаясь к следователю. — Нужно будет тщательно проверить всех, кто отсюда уходил.

— Проверим, — согласился следователь, — но сначала нужно разобраться, что именно здесь произошло.

— А кто остальные гости, которые в данный момент находятся в вашем доме? — поинтересовался Нерлингер.

— Сестра моей жены с другом, — показал на Эмму с Дронго Герман. — Моя сестра и ее муж, — показал он в сторону плачущей Мадлен и ее супруга, — и семья наших близких друзей, — на этот раз кивнул он в сторону семьи Пастушенко.

— А эта пожилая женщина, которая открыла нам дверь. Кто она?

— Домработница моей матери. Ее кухарка. Она помогала матери по дому. Как вы видите, дом большой, он достался нам по наследству, и матери было трудно одной управляться с этим домом. И еще учитывая, что с ней жила ее младшая сестра, которая часто болела.

К ним подошел следователь Менцель, протер очки и взглянул на Германа:

— Вы сын погибшей?

— Да.

— Она раньше жаловалась на сердце или какие-нибудь болезни?

— Нет, никогда.

— Сейчас мы заберем тело вашей матери на патологоанатомическую экспертизу. Нужно, чтобы вы поехали с нами.

— Я не смогу присутствовать на этом... на таком...

— Не беспокойтесь. Мы не заставим вас там присутствовать. Вы только подпишете протоколы. Поедем с нами.

— Хорошо, — согласился Герман и обратился к Берндту: — Я поеду в больницу, а ты проследи, чтобы все было в порядке. Отведи Мадлен наверх, в вашу комнату. И присмотрите за тетей Сюзанной, она должна вовремя принять лекарство. Калерия Яковлевна сама знает, какие именно препараты.

— Не беспокойся, — заверил Берндт, — я прослежу. Поезжай с ними и поскорее возвращайся.

Герман удовлетворенно кивнул и отошел от Берндта. Потом началась обычная суета. Тело Марты погрузили на носилки и вынесли из дома. Мадлен еще раз заплакала. Герман поехал вместе с сотрудниками полиции. Бокал, из которого пила Марта, они забрали с собой. А заодно прихватили и бутылку шампанского и вина, из которых пила Марта. Калерию Яковлевну предупредили, что все остатки пищи будут изъяты специальной бригадой. Она прибудет в дом через час. Нерлингер оставил одного из офицеров, попросив его переписать всех находившихся в доме людей. И, попрощавшись, он уехал вместе с остальными.

Оставшийся офицер исправно переписал всех находившихся в доме, не забыв упомянуть в списке и внучку погибшей. И только затем покинул дом. Плачущую Мадлен ее супруг поднял в комнату на втором этаже. Там были четыре спальни, одну из которых занимала Сюзанна, а вторую — сама Марта. Третья и четвертая комнаты были предназначены для приезжающих сюда Германа и Мадлен. Сама Калерия Яковлевна оставалась в небольшой подсобке на первом этаже. Несчастная домохозяйка собирала посуду с таким потерянным видом, словно потеряла смысл жизни. Наверно, фактически так оно и случилось. Когда она вышла на кухню, в гостиной остались только семья Пастушенко и Эмма с Дронго. Вчетвером они сидели на стульях.

— Вот такой получился юбилей, — негромко произнес Арнольд. — Бедная Анна. Сколько неприятностей свалилось на ее голову!

— При чем тут Анна? — удивилась его жена. — Прежде всего это ужасное событие для Германа и Мадлен, которые потеряли свою мать. А невестка как-нибудь переживет эту потерю.

— Что ты хочешь сказать? — встрепенулась Эмма.

— Ничего. Просто я считаю, что смерть Марты была трагедией в первую очередь для ее детей, — ответила Леся.

— Значит, Анна не была ее невесткой, и ей было все равно, что случится с матерью ее мужа? — продолжала наступать Эмма.

— Что ты ко мне цепляешься? — нахмурилась Леся. — Я только сказала, что дети будут переживать. Понятно, что Анна меньше всех. Кто сейчас всерьез переживает смерть своей свекрови? Некоторые даже радуются, когда избавляются от подобных родственников.

— Ты считаешь, что Анна тоже будет радоваться?

— Не нужно хватать меня за язык! — отрезала Леся. — Во всяком случае, я думаю, что она не будет особо печалиться.

— Леся, — укоризненно произнес Арнольд, — не нужно так говорить.

— Почему не нужно? Мы все прекрасно знали, что Марта терпеть не могла свою невестку. Это было заметно всем и каждому. И теперь Анна от нее избавилась. Почему я должна делать вид, что они обожали друг друга?

— Не нужно об этом говорить, — снова попросил Арнольд, — сейчас не время.

— Нет. Пусть она договаривает, — зло произнесла Эмма. — Получается, что моя сестра только и мечтала о смерти своей свекрови?

— Во всяком случае, она не будет сильно переживать, — отрезала Леся.

— Нет. Она устроит праздники, — крикнула Эмма, — и снова соберет всех своих друзей, среди которых ты будешь на главном месте!

— Хватит, Эмма! — недовольно сказал Пастушенко. — Это уже некрасиво. Ее тело только сейчас увезли из дома, а вы обсуждаете такие неприятные подробности. Не будем об этом говорить. Марта была человеком со сложным характером, и все об этом знали. Но она уже умерла, и мир ее праху. Почему из-за нее мы должны ссориться? Это ведь глупо.

— Ты готов выслушивать любые оскорбления в адрес своей жены, лишь бы видеть Анну, — разозлилась, в свою очередь, Леся.

— Когда он был знаком с моей сестрой, тебя еще не было на свете, — напомнила Эмма.

— И поэтому твоя сестра не может об этом забыть до сих пор? — крикнула Леся, явно теряя терпение. — Думаешь, что я такая дурочка и не знаю, что у Арнольда с твоей сестрой был роман?

— Тебя никто не заставлял насильно выходить за него замуж, — тоже повысила голос Эмма.

— Напрасно вообще мы сюда приехали, — обратилась Леся к своему мужу. — Теперь эти дамочки свалят на нас убийство своей родственницы, которую они ненавидели.

— Ты уже обвиняешь нас в убийстве Марты? — не поверила Эмма. — Спасибо тебе за понимание ситуации. Ты приехала сюда, чтобы назвать нас убийцами.

— Девочки, перестаньте, — попросил Арнольд. — Это уже совсем неприлично. Тем более при постороннем человеке.

— Он не посторонний! — крикнула Эмма. — Это мой друг, и я могу приводить сюда любого, кого считаю нужным.

— Еще не успев развестись, ты уже завела себе нового кавалера, — сказала Леся. — Очень ловко у тебя получается.

— А ты как будто не жила с этим венгром Лайошем, до того как встретила Арнольда, — напомнила Эмма. — Или ты сейчас сделаешь вид, что вы были незнакомы с Лайошем.

— Он не был моим мужем. Мы с ним были только друзьями.

— Не ври. Поэтому у тебя был выкидыш от него.

— Откуда ты знаешь? Это вранье.

— Об этом говорили все твои знакомые. А ты строишь из себя саму невинность...

— Лгунья! — закричала Леся. — Ты все это придумала.

В этот момент она услышала спокойный женский голос:

— Может, хватит орать?

Глава 7

Все четверо сидевших в гостиной людей повернулись и увидели входившую Анну. У нее было уставшее лицо. Она подошла к столу и демонстративно села рядом со своей сестрой.

— Не нужно орать, — снова повторила она. — Ева спит наверху. Она и так напугана, не понимает, что именно здесь произошло, а вы кричите изо всех сил друг на друга. Ты, Эмма, могла бы подумать о Еве или тете Сюзанне, у которой может случиться нервный припадок, если она осознает, что именно произошло. Поэтому говорите тише.

Затем взглянула на Лесю:

— А тебе вообще должно быть стыдно. Здесь произошла трагедия, умерла мать моего мужа, а ты кричишь, как базарная торговка, и чуть ли не обвиняешь нас с Эммой в ее смерти. Постыдись, ведь тебя могут услышать Мадлен или Берндт, которые понимают твой русский язык.

Леся хотела что-то сказать, но в последний момент сдержалась, увидев, какой взгляд метнул на нее Арнольд.

— В общем, давайте не будем спорить, — предложила Анна. — Может, Марта умерла от инфаркта, а вы здесь обвиняете кого-то в ее смерти. И учти, Леся, что мы дружили с твоим мужем еще с первого класса, и поэтому тебе не удастся нас поссорить.

— Слишком тесно дружили, — пробормотала Леся.

Муж, нахмурившись, взглянул на нее.

— Тебя заносит, — сказал он раздраженно.

— Тесно, — согласилась Анна, — очень тесно, учитывая, что мы знакомы столько лет. А ты замужем только один год и уже пытаешься нас поссорить. Некрасиво это, Леся, и глупо.

— Я ничего не сказала, — оправдываясь перед мужем, произнесла Леся и посмотрела на него. — И вообще, давай поедем домой. Я очень устала. Все эти семейные тайны не для меня.

— Это самые мудрые твои слова за весь вечер, — сказала Анна. — И давай договоримся: ты больше не будешь высказывать свои версии случившегося. Это и в твоих личных интересах.

Леся видела, как Пастушенко смотрит на нее, и поэтому не стала ничего говорить, чтобы окончательно не выводить из себя мужа. Она только сказала:

— Почему мы должны здесь оставаться? Уже все закончилось. Давай наконец уедем.

— Поедем, — согласился муж, — только ты заткнись и перестань молоть всякую чепуху.

Леся, видя, как покраснел Пастушенко, на этот раз промолчала. Она кивнула на прощание обеим сестрам и вышла из гостиной.

— До свидания, — сказал Арнольд. — Мы будем дома. Если понадобимся, вы можете позвонить.

Он вышел следом за своей супругой. Эмма посмотрела им вслед.

— Как он мог выбрать эту суку? — неожиданно спросила она. — Нашел, кого выбирать себе в жены.

— Эмма, перестань, — поморщилась Анна, — твой максимализм начинает меня утомлять. Он выбрал того, кого выбрал. Значит, она ему понравилась. И не будем ее обсуждать. Слишком много чести. Ты говорила, что твой знакомый является сыщиком. Я правильно поняла? Вы действительно известный сыщик? — обратилась она к Дронго.

— Очень известный, — подтвердила Эмма. — Можешь сама посмотреть в Интернете. Только найди слово «Дронго», без этих птиц.

— Меня обычно так называют, — сказал сыщик.

— И вы можете нам помочь? — спросила Анна. — Если Марту действительно отравили, то кто это мог сделать? Я ведь не дура и понимаю, что подозрение вызываем в первую очередь я и моя сестра.

— Не только, — возразил Дронго. — Еще и некоторые другие, которые сегодня были с нами в гостиной.

— Кто? — удивленно спросила Анна. — Неужели еще кто-то может быть под подозрением?

— Ваша младшая сестра говорила мне, что какая-то дальняя родственница семьи Крегер завещала тете Сюзанне довольно крупную сумму денег.

— Зачем ты рассказываешь об этом посторонним людям? — нахмурилась Анна, обращаясь к своей младшей сестре. — Это очень глупо с твоей стороны.

— Я хотела предупредить Дронго о том, что к тете Сюзанне относятся с таким пиететом именно потому, что она такая богатая, — пояснила Эмма. — Иначе твоя бывшая свекровь давно сдала бы ее в какой-нибудь дом для престарелых.

— Перестань, — прервала старшая сестра, — это не твое дело. Марты уже нет в живых, не будем подозревать ее в дурных намерениях. Но я хотела бы понять, какое отношение имеют деньги тети Сюзанны к смерти Марты?

— Ваша свекровь была ее наследницей, — пояснил Дронго — и в случае смерти Марты наследниками становятся Герман и Мадлен. А я понимаю, что речь идет о довольно крупной сумме.

— И вы хотите сказать, что сын или дочь могли отравить собственную мать ради денег? — с недоверием спросила Анна. — Неужели вы думаете, что такое может быть?

— Иногда люди идут ради денег на подобные убийства, — сообщил Дронго, — но не в этом случае. Здесь вы меня просто не поняли. Чтобы Герман и Мадлен стали основными наследниками не совсем дееспособной тети Сюзанны, нужно было устранить Марту. Устранить в интересах ее детей. А кто мог быть заинтересован в подобном убийстве? Жена и муж детей Марты. То есть основными подозреваемыми не обязательно должны стать ваш муж и Мадлен, а как раз наоборот. Этими подозреваемыми будете вы и Берндт Ширмер, который как раз очень неплохо разбирается в финансовых вопросах.

Наступило неловкое молчание.

— Вот так, — горько произнесла Анна, — твой друг, Эмма, тоже считает, что я основная подозреваемая. Можешь себе представить, что будут думать сотрудники полиции и прокуратуры? Они просто затаскают меня по допросам. И еще учитывая, что именно я предложила сделать заказ в русском ресторане Берлина и заказала этот торт, на котором она даже не захотела потушить свечи.

— Не нужно об этом вспоминать, — посоветовала Эмма. — Никто тебя не подозревает. Просто господин Дронго говорит, что это могло быть выгодно тебе и Берндту.

— Учитывая, что Берндт был любимым зятем Марты, а я не самой любимой невесткой, то вывод более чем очевиден, — заключила Анна, — только я не совсем понимаю, как можно доказать причастность к этому преступлению конкретного лица.

— Что ты имеешь в виду? — спросила Эмма.

— Если даже кто-то бросил яд в бокал Марты, — предположила Анна, как это можно доказать, если не видел своими глазами человека, бросающего в напиток яд? Погас свет, и никто ничего не видел.

Эмма посмотрела на Дронго.

— А действительно, как можно выявить убийцу, если погас свет и никто не видел? — спросила она. — Ведь можно подозревать кого угодно?

— Существует много способов изобличить настоящего убийцу и выявить того, кому выгодно было это сделать, — пояснил Дронго.

— Но вы сказали, что выгодно прежде всего Анне и Берндту, — напомнила Эмма.

— Они могли быть заинтересованы в устранении Марты, — согласился Дронго, — но это не значит, что убийцы обязательно они.

— Спасибо и на этом, — кивнула Анна. — Надеюсь, что у Марты был обычный сердечный приступ и сотрудники полиции сюда больше не приедут. Спасибо тебе, Эмма, что сегодня ты нашла время приехать на день рождения Марты и даже привезла своего друга. Представляю, какие колкости говорила бы Марта, если бы ты появилась одна. И вам спасибо, господин эксперт, что согласились приехать с моей сестрой. Извините, но я должна закрыть за вами двери и подняться к дочери.

— Мы сейчас уйдем, — кивнула Эмма.

Дронго молча поднялся. Он только кивнул на прощание Анне, не сказав больше ни слова. И пошел к выходу. За ним поспешила Эмма, успевшая пробормотать своей сестре:

— Не нужно было так его обижать.

Когда они вышли из дома, снова начался дождь. Оба поспешили к автомобилю Эммы. Уселись в автомобиль, пристегнулись ремнями.

— Вы извините, что все так получилось, — сказала Эмма, — просто Аня ужасно переволновалась. Испугалась за дочку. Если кто-то мог отравить Марту, когда потушили свет, то точно так же могли отравить и маленькую Еву. И вообще любого из нас.

— Я понимаю ее состояние, — кивнул Дронго, — не нужно оправдываться. Не каждый день происходит такое событие.

— Вы думаете, что ее убили?

— Почти наверняка отравили, — задумчиво произнес Дронго. — Симптомы были более чем очевидные. Учитывая, что вино и шампанское, которое она пила, были из общей бутылки и, кроме нее, их пили все остальные, то можно предположить, что яд кто-то положил в ее бокал. При этом убийца не решился бросить яд в бокал с белым вином и подождал, пока разольют шампанское, чтобы пузырьки газа могли скрыть наличие в бокале возможной отравы.

— Неужели кто-то мог решиться? — поежилась Эмма. — Нет, поймите меня правильно. Конечно, она была страшным человеком, мучила всех, кто был с ней рядом. Но такая смерть... Значит, кто-то ее так сильно ненавидел. Интересно, кто это мог быть? Рядом с ней сидели ее младшая сестра и дочь. А с другой стороны — сын...

— И ваша старшая сестра, — безжалостно проговорил Дронго.

— Вы все-таки подозреваете Анну? — дрогнувшим голосом спросила Эмма. — Неужели вы считаете, что она была способна на подобную жестокость? Даже учитывая ее непростые отношения со свекровью.

— Я просто перечисляю людей, которые сидели ближе всех к погибшей, — возразил Дронго, — и не сказал, что это была обязательно Анна. Но в том, что убийца был среди нас, нет никаких сомнений.

Раздался телефонный звонок. Эмма достала телефон.

— Да, это я. Слушаю тебя. Скажи, что случилось? Да, я все поняла. Конечно, кошмар. Нет, я не поеду никуда. Завтра утром буду у тебя. Да, конечно. Не нужно так переживать. Я все поняла. И завтра утром буду у тебя. Нет, я останусь ночевать у Риты. Не беспокойся, я все поняла.

Продолжая вести машину, она убрала телефон, ничего не сказав своему спутнику. Затем неожиданно резко взяла вправо, съехала с основной дороги и остановилась у бензоколонки. Затем взглянула на Дронго.

— Вы хотите заправиться? — спокойно спросил он.

— Я уверена, что вы уже все поняли, — сказала

Эмма. — Не нужно делать вид, что вы не слышали мой разговор.

— Позвонили из морга? — спросил Дронго.

— Значит, вы все слышали?

— Нет. У вас хороший телефон, и ничего не было слышно. Но по вашим ответам и восклицаниям я мог догадаться, что именно случилось. Позвонили из морга и подтвердили, что Марта была отравлена?

— Да. Позвонил Герман. Полиция провела вскрытие. Вернее, их эксперты. Такое длинное немецкое название...

— Патологоанатомы?

— Правильно. Они сказали, что там нашли какой-то яд. И теперь утром к ним домой, в Потсдам, приедут сотрудники полиции и прокуратуры. Они попросили Германа собрать всех, кто там сегодня был. И еще отправили на экспертизу изъятые бокалы и бутылки.

— Бутылки будут чистыми, — задумчиво произнес Дронго, — а в ее бокале найдут остатки яда. Теперь в этом можно не сомневаться. Вы же видели, как Арнольд обходил гостей сначала с бутылкой вина, а потом — с бутылкой шампанского. Кстати, чья идея была ставить по два бокала для гостей?

— Конечно, самой Марты. Она строила из себя аристократку.

— Это ей не помогло.

— Вы с самого начала знали, что все так и закончится?

— Я могу задать вам тот же вопрос.

— Нет, не знала. Я вам уже несколько раз объясняла. Или вы думаете, что я вас взяла специально, чтобы вы увидели, как ее будут убивать?

— Не думаю. Но ее убили. Теперь нужно понять, кто и зачем это сделал. У вас есть конкретные подозреваемые?

— Вы издеваетесь? Я до сих пор не верю, что ее могли отравить. Может, она съела какую-нибудь гадость или ей нельзя было пить шампанское?

— Не говорите глупостей. Мы с вами тоже пробовали это шампанское. И она почти ничего не ела. Даже не прикоснулась к торту, который заказала ваша сестра. Ее убили, и сделали это намеренно. А убийца находился среди тех, кто был с нами в гостиной.

— Но там не было чужих! — чуть не сорвалась на крик Эмма.

— Предают только свои, — напомнил Дронго. — Не обязательно, чтобы убивали чужие. Иногда убивают и свои.

— Опять намекаете на Анну?

— Нет. Это известная французская пословица: «Предают только свои». Чужой человек не может вас предать.

— Тогда кто это сделал?

— Если бы я знал, то прямо сейчас поехал в полицию.

— И сдали бы этого человека? — мрачно поинтересовалась Эмма.

— Это моя профессия.

— А если бы убийцей оказалась я или моя сестра, вы бы все равно отправились выполнять свой долг?

— Думаю, что да.

Эмма снова осторожно посмотрела на Дронго.

— Вы нехороший человек, — неожиданно сказала она. — Сестра Мукана ошибалась. Неужели вы можете так спокойно предавать своих знакомых? И вам совсем не стыдно?

— Если моим знакомым не стыдно убивать, то почему мне должно быть стыдно их разоблачать? — поинтересовался Дронго.

— А если я вас позвала, чтобы вы нам помогли и защитили? А вы, наоборот, готовы нас сдать. И еще гордитесь этим.

— Я не сказал, что горжусь. Но если бы убийцей были вы или ваша сестра, то мне было бы очень неприятно. Хотя поиски убийцы в данном случае не мое дело. Но я все равно бы разоблачил человека, который решился на такой скверный поступок. В свое время был такой английский король Генрих Восьмой, который говорил, что он в ответе за красоту всего мира. Может, я тоже в ответе за красоту нашего мира.

— Только не так пафосно, — поморщилась Эмма. — Получается, что Марта была красотой всего мира? Да она была злыдней и злюкой, каких мало. Видимо, сказывалось ее трудное детство. Она не могла простить людям то, что когда-то в детстве расстреляли ее отца, их семью перевезли в товарном вагоне для лошадей в Северный Казахстан и она росла в бараке. А потом, переехав сюда, не смогла смириться с тем, что почти сразу потеряла своего мужа. И осталась с больной младшей сестрой. Она отыгрывалась все время на Германе и на Анне. А вот Мадлен она все прощала и к ее мужу относилась намного лучше. Ведь Берндт был настоящим немцем, который родился в Западной Германии, стал банкиром и всю свою жизнь жил в этой стране. У нее была куча комплексов, неужели вы сами не видели?

— И поэтому ее убили?

— Наверно, поэтому, — кивнула Эмма. — Хотя если честно, то я не знаю почему.

— Если бы мы могли знать, мы бы легко вычислили возможного отравителя, — сказал Дронго.

— Завтра утром следователь и полицейские приедут домой к Анне. Они просили собрать всех гостей.

— Это я уже понял, — кивнул Дронго. — Могу задать вам личный вопрос?

— По-моему, вы уже узнали все наши семейные тайны, — усмехнулась Эмма. — Что вы хотите спросить?

— Кто такая Рита, к кому вы должны поехать сегодня ночью? — неожиданно спросил Дронго.

— Моя подруга, у которой я обычно остаюсь, когда приезжаю в Берлин. Мне не очень хочется оставаться у Марты, поэтому я и ночую у моей подруги. У Марты в большом доме оставались только ее дети, для каждого из которых она держала комнату.

— И где живет Рита?

— В Восточном Берлине. Рядом с бывшим Восточным вокзалом. А почему вы спрашиваете?

— Уже поздно, — пояснил Дронго, — а нам еще нужно ехать в мой отель. Может, я сниму вам номер в «Бристоле», и вы там останетесь? А завтра утром мы вместе вернемся в Потсдам, чтобы вы не ездили туда и обратно.

— Хорошее предложение, — улыбнулась Эмма. — Вы действительно снимете мне номер? Или предложите остаться в вашем?

— Если бы я хотел оставить вас в своем номере, я бы так и сказал.

— А вы не хотите?

— Хочу. Но не оставлю. Это было бы нечестно.

— По отношению к кому?

— По отношению ко всем нам. В любом случае Марту убил кто-то из ваших родственников или знакомых. И в любом случае после обнаружения отравителя вы будете на меня обижены. Кто бы им ни был. А я должен иметь свободу действий.

— Как много ненужных слов, чтобы не встречаться с женщиной, — иронично заметила Эмма. — После стольких оправданий я просто принципиально должна уехать к Рите. Но я останусь в отеле и даже соглашусь переночевать в соседнем с вами номере. Надеюсь, там не будет внутренней двери между номерами.

— У меня в номере нет такой двери, — сообщил Дронго.

— Тогда поехали, — согласилась Эмма, выруливая на дорогу. — И, честное слово, вы все время меня удивляете. Нет, не так. Вы меня просто поражаете. Только учтите, что я тоже не буду вас защищать, если выяснится, что именно вы отравили фрау Марту Крегер.

— Договорились, — согласился Дронго.

Глава 8

Он сдержал слово. Снял ей номер, который оказался на другом этаже. Утром Эмма постучала в номер Дронго, когда он уже побрился и оделся, готовясь спуститься к завтраку. Он открыл дверь. Она стояла на пороге.

— Хорошо, что в отеле дают зубную щетку и пасту, — сообщила Эмма. — Но плохо, что вы даже не попытались мне позвонить или узнать, как я устроилась. А я слишком гордая женщина, чтобы вам навязываться. Вы, наверно, были уверены, что ночью я буду к вам стучаться или звонить.

— Нет. Я был уверен, что после вчерашних потрясений вы устали и хотите спать. Как, впрочем, и я.

Эмма озадаченно взглянула на Дронго, не понимая, шутит он или говорит серьезно. Затем спросила:

— Вы так относитесь ко всем знакомым женщинам? Или только к тем, которые бывают под подозрением у полиции?

— Ко всем, — сообщил он. — Мне казалось, что вчера мы уже все обговорили.

— Я просто забыла. Вы идете завтракать?

Он кивнул. За завтраком они молчали. Когда уже выходили из ресторана, Эмма наконец сообщила:

— Герману звонили полицейские. В бокале тоже нашли яд. Вы были абсолютно правы насчет бокала.

— Несложно догадаться. Если яда нет в бутылках, то он должен быть в ее бокале.

Они вышли из отеля. Швейцар протянул ключи от машины Эммы. Автомобиль уже был припаркован у входа. Они уселись в машину и поехали в сторону Потсдама.

— Даже не представляю, как мы снова соберемся, — призналась Эмма, — будем смотреть друг другу в глаза и вычислять, кто из нас возможный отравитель. Это невыносимо.

— Сначала нужно найти отравителя, — возразил Дронго. — Чем больше я думаю над этим вопросом, тем больше не понимаю, кто и зачем мог отравить Марту. Все гораздо запутаннее, чем вам кажется.

Эмма, соглашаясь, кивнула и прибавила скорость. Но до Потсдама они доехали за полчаса, сказывались утренние автомобильные пробки — все спешили на работу. В доме их уже ждали. Инспектор Нерлингер и следователь Менцель попросили всех усесться за столами так, как они сидели накануне во время юбилея. Кроме маленькой Евы, все остальные были на своих местах. И только место Марты пустовало. На него никто не решился сесть. Следователь Менцель устроился у входа. Калерия Яковлевна села на стул, который принесла из кухни. И испуганно смотрела на присутствующих.

— Герр Нерлингер, вы можете рассказать нам, что именно нам удалось установить, — попросил следователь, — чтобы все присутствующие знали о вчерашнем отравлении.

При этих словах Герман нахмурился, Леся вздрогнула — она впервые услышала о том, что здесь действительно произошло убийство. Эмма переводила слова инспектора Дронго.

— Вчера патологоанатомическое исследование подтвердило, что фрау Марта Крегер была отравлена, — сообщил Нерлингер. — При этом экспертиза бутылок, из которых вы пили, показала полное отсутствие яда. А вот в бокале умершей мы нашли остатки яда. Если она сама не положила туда яд, то получается, что это сделал кто-то из присутствующих. Как мы поняли, никого из посторонних в доме не было, если не считать господина Дронго, которого привезла сюда фрау Эмма Буземан.

— Называйте меня Эммой Вихерт, — попросила женщина. — Мы пока не оформили наш развод с моим бывшим мужем.

— Простите. Госпожа Вихерт, — поправился Нерлингер. — Теперь у нас нет никаких сомнений, что яд попал в бокал погибшей именно потому, что его положили во время вашей вчерашней встречи.

Все потрясенно молчали.

— Мы разрешили девочке остаться наверху, чтобы ее не тревожить, — продолжал Нерлингер, — а остальных попросили собраться здесь, чтобы понять, кто и зачем мог отравить фрау Марту. Мы проверяли токсичность яда, и, возможно, это был порошок, которым обычно травят крыс.

— Никто не мог бросить яд в бокал, — подал голос Герман. — Я думаю, бокал был плохо вымыт, и в нем оказались остатки крысиного яда. Насколько я знаю, у нас на кухне работала целая бригада из профдезинфекции, которая раз в год проводит обработку всего помещения. Это единственное разумное объяснение, которое возможно в данном случае.

— Не совсем, — возразил следователь Менцель. — У нас есть бокал вашей погибшей матери с отпечатками пальцев другого человека.

Установилась тишина. Теперь уже все с некоторым недоверием и опаской смотрели друг на друга.

— Я вымыла все бокалы и сама их протерла, — неожиданно подала голос Калерия Яковлевна. — Там не могло быть никаких отпечатков пальцев. И никаких остатков яда. Фрау Марта сама все проверяла. Она была очень требовательной и чистоплотной женщиной.

— Подождите, — снова вмешался Менцель, — все совсем не так просто, как вам кажется. Вчера мы разговаривали с герром Крегером, и он сообщил нам, что сам выключил свет, когда сюда вносили торт. Как мы поняли из его объяснений, он нарочно потушил свет, чтобы сюда внесли торт со свечами, которые позже фрау Марта отказалась потушить. Я ничего не перепутал?

— Нет, — ответил Герман, — все так и было. Я потушил свет, и через несколько секунд Калерия Яковлевна внесла торт.

— А потом вы не сразу включили свет? — уточнил Нерлингер.

— Не включил, — подтвердил Герман. — Я попросил мать задуть свечи, но она отказалась. Ей не нравился торт, который мы заказали в русском ресторане. И поэтому она отказалась задувать свечи. И вместо нее свечи задула наша тетя Сюзанна.

— И все это время в гостиной было темно, — сделал вывод Менцель.

— Да, — подтвердил Герман. — Только потом мы включили свет. Мы можем узнать, наконец, чьи отпечатки пальцев вы нашли на бокале моей матери?

— Этого мы не знаем, — ответил следователь. Сейчас мы возьмем отпечатки пальцев у всех присутствующих, а затем с помощью компьютера сверим их с теми, что нашли на бокале. Эта несложная процедура займет не так много времени. Тогда станет известно, кто именно трогал бокал вашей матери. Собственно, поэтому мы вас здесь и собрали. Так что уже через пятнадцать-двадцать минут мы будем знать, кто отравитель. Но мы хотим дать шанс этому человеку самому признаться в убийстве фрау Марты Крегер.

Он поднялся и подошел к столу. Посмотрел на всех присутствующих. Все молчали. Менцель повернулся к инспектору Нерлингеру.

— Скажите, чтобы принесли компьютер, — попросил он. — Мы сверим отпечатки прямо сейчас.

Нерлингер позвал своего сотрудника, который вошел с компьютером и машинкой для снятия отпечатков. Это был специалист по дактилоскопии. Он сел за стол на место Марты и взглянул на инспектора.

— Приступайте, — разрешил тот.

— Тогда начинайте прямо с меня, — нервно произнес Герман. — Это я потушил свет, я предложил ей задуть свечи. Я не включал свет несколько минут. И я сидел ближе всех к моей матери. Но я никогда в жизни не пытался ее отравить.

Он протянул руку, и автомат зафиксировал его отпечатки пальцев. Результат был отрицательный. Эксперт взглянул на Нерлингера и покачал головой.

— Следующий, — сказал Нерлингер.

— Давайте по кругу, — предложил Менцель.

Все посмотрели на Анну.

— Это обязательно? — Голос у нее предательски дрогнул.

— Все находившиеся в доме люди должны пройти эту экспертизу, — строго сказал Менцель. — Мы просим сделать это в добровольном порядке. В случае отказа у нас могут появиться сомнения в вашей искренности.

— Получается, что вы меня подозреваете? — спросила Анна.

— Мы проверяем всех, фрау Крегер, — возразил Нерлингер.

— Не нужно возражать, Анна, — вмешался Герман. — Просто положи руку, пусть они снимут отпечатки. Это совсем не больно.

— Но это унизительно. Они считают, что я могла быть убийцей, — нервно произнесла Анна.

— Вы отказываетесь? — спросил Менцель.

Неприятное молчание длилось несколько секунд. Наконец Анна протянула руку, и в компьютере были зафиксированы отпечатки ее пальцев. Все напряженно ждали.

— Нет, — сказал эксперт.

Анна выдернула руку и поморщилась.

— Все равно это унизительно и неприятно, — убежденно произнесла она.

— Фрау Вихерт, — предложил Нерлингер, обращаясь к Эмме.

— Я совсем не боюсь, — сказала Эмма, протягивая руку. — Честное слово, я совсем не боюсь.

Эксперт зафиксировал ее отпечатки и отрицательно покачал головой.

— Герр Дронго, — сказал инспектор, — теперь ваша очередь.

Дронго спокойно протянул руку. Компьютер зафиксировал отпечатки его пальцев, и эксперт снова отрицательно покачал головой.

— Очень хорошо, — сказал инспектор. — Давайте дальше.

Калерия Яковлевна поднялась и подошла к эксперту-дактилоскописту. Взволнованно на всех посмотрела.

— Она мыла все стаканы и посуду, — напомнил Герман, — и это вполне могли быть ее отпечатки пальцев. Но это ничего не значит.

— Мы должны проверить, — сказал следователь Менцель.

— Мне нужно положить руку на эту машинку? — спросила Калерия Яковлевна.

— Да, — кивнул Нерлингер.

Калерия Яковлевна испуганно положила руку на специальную плоскость и сразу ее убрала.

— Слишком быстро, — сказал эксперт. — Еще раз положите ладонь и задержите руку на пять секунд.

Калерия Яковлевна посмотрела на Германа, и тот, подбадривая ее, кивнул. Она протянула руку, зажмурилась и продержалась пять секунд.

— Все, — сказал эксперт. — Результат отрицательный.

— Следующий, — предложил Нерлингер.

Эксперт обошел стол и встал перед Пастушенко.

— Какой-то сумасшедший дом! — пробормотал Арнольд. — Как можно требовать в демократической стране сдавать отпечатки пальцев!

— Вы отказываетесь? — поинтересовался следователь.

— Нет, конечно. Но я не понимаю, почему нужно проверять всех присутствующих. Вам не кажется, что вы практикуете не совсем законные методы? Для получения наших отпечатков пальцев вы должны были получить решение суда, который может обязать нас дать наши отпечатки рук. Но вы хотите, чтобы мы сделали это добровольно.

— Именно так, — подтвердил Менцель. — Поэтому мы и собрали всех вас в этой гостиной. Мы хотим точно знать, кто дотрагивался до бокала погибшей.

— Сумасшедший дом, — снова раз повторил Арнольд, протягивая руку.

Эксперт зафиксировал его отпечатки, но почему-то помедлил с оглашением результата. Что-то произошло с компьютером. Арнольд нахмурился.

— Почему он молчит? — спросила по-русски Леся. — Или его дурацкий компьютер показывает, что это ты отравил Марту?

— Подожди, — прервал ее муж, — посмотрим, что он скажет.

Они увидели, как эксперт застучал по клавишам и затем поднял голову. Результат был отрицательным.

— Теперь ты можешь подарить им на память свои отпечатки, — предложил Арнольд супруге.

Леся пожала плечами и нервно хохотнула. Затем положила руку на специальную плоскость, и почти сразу эксперт покачал головой. Она убрала свою ладонь и громко рассмеялась.

— Я была уверена, что не отравила фрау Марту, но эта машинка вызывает у меня неприятное чувство, — призналась Леся.

Эксперт прошел дальше. Он остановился рядом с Берндтом Ширмером. Тот спокойно, без лишних слов протянул свою ладонь и задержал ее на плоскости целых десять секунд.

— Можете убрать руку, — сказал эксперт. Результат отрицательный.

Берндт удовлетворенно кивнул и убрал ладонь.

— Напрасно вы затеяли этот эксперимент, — сказал Герман. — Получается, что в гостиной был чужой человек. Который и отравил нашу мать. Ведь других людей здесь просто не было. А на кухне установлены очень крепкие решетки.

— Мы не проверили еще двух женщин, — показал Менцель на сидевшую с опухшим от слез лицом Мадлен и Сюзанну, которая с интересом рассматривала узоры на скатерти.

— Вы будете проверять отпечатки пальцев и у них тоже? — не поверил Герман. — Неужели вы думаете, что несчастная тетя Сюзанна могла кого-то отравить? Или это сделала моя сестра? Посмотрите на ее лицо, она держится из последних сил. Вы считаете, что она могла отравить собственную мать?

— Простите, герр Крегер, но мы обязаны проверить отпечатки пальцев всех людей, находившихся вчера в вашем доме, — вежливо, но твердо заявил Нерлингер.

— Тогда разбудите и позовите мою дочь, — разозлился Герман, — она тоже сидела рядом с нами и могла отравить свою бабушку. Вам не кажется, герр инспектор, что вы несколько увлеклись техническими новинками и не хотите думать. Ведь понятно, что ваш эксперимент провалился. Наверно, отпечатки пальцев оставил кто-то из ваших офицеров, когда забирал этот бокал. Уверяю вас, что здесь не было никого из посторонних. И никто из чужих не мог оказаться в гостиной в тот момент, когда я потушил свет. А в привидения, которые травят хозяев, я не верю.

— Разрешите нам проверить отпечатки пальцев вашей сестры, — упрямо сказал Нерлингер.

— Это уже совсем неприлично, — поддержала мужа Анна. — Учтите, герр инспектор, и вы, герр следователь, что мы будем жаловаться. Мой муж — родственник известного юриста Фридриха Зинцхеймера. И боюсь, что у вас будут проблемы из-за ваших методов работы.

— Возможно, — сказал Нерлингер, — но мы доведем нашу проверку до конца. Пусть ваша сестра положит свою ладонь на специальную площадку, и мы проверим ее отпечатки пальцев.

— Мадлен любила свою мать, — подал голос и Берндт Ширмер, — может, вы избавите ее от оскорбительной проверки.

— Позвольте мне настаивать на нашей просьбе, — вновь повторил Нерлингер.

— Тогда нам придется вызывать ее специальной повесткой в суд, чтобы получить разрешение на снятие отпечатков пальцев. Это займет слишком много времени. И у вас, и у нас, — пояснил Менцель.

— Не нужно спорить, Берндт, — сказала потухшим голосом Мадлен.

Она протянула руку. Пальцы немного дрожали. Эксперт показал ей, куда нужно положить ладонь. Мадлен положила руку и отвернулась. Через несколько секунд эксперт тихо предложил ей убрать руку. Она убрала руку и, даже не глядя на него, отвернулась.

— Какой результат? — поинтересовался Нерлингер.

— Отрицательный, — сообщил эксперт.

— Вот видите, — удовлетворенно произнес Герман. — Вам обязательно нужно позориться? Неужели вы ничего не понимаете? Она в таком состоянии, а вы снимаете у нее отпечатки пальцев, подозревая Мадлен в убийстве своей собственной матери. По-моему, это очень жестоко и непрофессионально, герр инспектор.

— Продолжаем проверку, — потребовал Нерлингер.

— Может, хватит? — предложил уже сам Менцель, видя, как Сюзанна разглядывает узоры на скатерти. — По-моему, все ясно. Возможно, мы действительно ошиблись. Нужно будет еще раз все проверить.

— Остался еще один человек, — напомнил Нерлингер, показывая на Сюзанну.

— Не нужно, инспектор, — снова повторил следователь. — Вы же видите, в каком она состоянии. Я думаю, нужно будет все проверить еще раз у вас в управлении.

— Последний подозреваемый, — упрямо произнес Нерлингер. Он обладал бульдожьей хваткой полицейского.

— Какой неприятный тип, — сказала Эмма, переводившая их слова для Дронго. — Никак не хочет успокоиться.

— Если все результаты будут отрицательными, нужно будет проверить девочку, — неожиданно предложил Нерлингер.

— Нет, — возразил Менцель, — это не обязательно. Эксперты считают, что это были отпечатки взрослого человека, а никак не ребенка.

— Мы проверим и девочку, — повторил Нерлингер.

— А я не разрешу, — сказал Герман. — Даже если вы захотите меня арестовать за неподчинение полиции. Просто не разрешу пугать свою дочь.

— Проверьте отпечатки пальцев фрау Сюзанны Крегер, — предложил Нерлингер, обращаясь к своему эксперту.

Тот в знак согласия кивнул, уселся рядом с женщиной и протянул к ней машинку для определения отпечатков пальцев. Сюзанна, улыбаясь, взглянула на него. Эксперт взял ее руку и сам положил на специальную площадку для снятия отпечатков пальцев. Через пять секунд он убрал руку.

— А теперь вы пойдете проверять мою дочь? — насмешливо спросил Герман. — Здесь больше никого не осталось. Кого еще вы собираетесь проверить? Других людей в доме не было. Здесь только одна входная дверь, а вторая дверь уже давно заколочена. Еще с девяносто первого года.

— Мы должны были развеять все наши сомнения, — сказал Менцель. — Теперь мы знаем, что к бокалу погибшей прикасался кто-то неизвестный, которого вы не видели в гостиной.

— Привидение? — насмешливо спросил Герман. — В жизни так просто не бывает.

— Это были не ее отпечатки пальцев, — напомнил следователь. — Скажите, как бы вы поступили на нашем месте.

Герман хотел что-то сказать и даже открыл рот, но тут эксперт неожиданно произнес:

— Результат положительный. Абсолютная идентичность. На бокале были отпечатки пальцев фрау Сюзанны.

В наступившей тишине был слышен очень тихий смех Сюзанны. Все ошеломленно молчали, не зная, как именно реагировать на слова эксперта.

Глава 9

— Теперь все понятно, — сказал Менцель. — Уже не осталось никаких вопросов. Очевидно, Сюзанна отравила свою старшую сестру. Возможно, она просто перепутала и взяла другое лекарство, ей, видимо, показалось, что она должна помочь своей сестре. Подробностей мы, наверное, никогда не узнаем.

— Она не совсем дееспособна, — тихо напомнил Герман. — Даже если она действительно что-то положила в бокал своей сестры, то сделала это ненамеренно. Вы же видите, в каком она состоянии.

— Мы будем обязаны назначить специальную психиатрическую экспертизу с целью определения ее дееспособности, — объявил следователь.

— Неужели вы не понимаете, что она не могла намеренно убить мою мать? — спросил Герман. — Или это действительно так сложно понять?

— Ее отпечатки пальцев были найдены на бокале, — напомнил следователь.

— О чем они говорят? — спросил Дронго, обращаясь к Эмме. Она перевела ему их слова.

— Подождите, — сказал сыщик, — мне кажется, вы ошибаетесь. Переведите им, Эмма.

— Что он хочет сказать? — спросил Нерлингер.

Эмма перевела его вопрос.

— Скажите им, что я хочу напомнить один эпизод. Когда господин Пастушенко начал в первый раз обходить стол, чтобы налить всем белого вина, он остановился около фрау Сюзанны, и она захотела, чтобы ей налили этого вина. Но ее старшая сестра возразила. Вспомните, как это было. Сюзанна дотронулась до бокалов, и Марта отодвинула их в свою сторону. Возможно, именно тогда Сюзанна и оставила свои отпечатки пальцев на бокале своей старшей сестры.

Эмма перевела его слова для следователя и инспектора.

— Действительно, все так и было, — вспомнил Пастушенко. — Она точно трогала бокалы, и тогда Марта отодвинула их в свою сторону.

— Кто еще это видел? — спросил Менцель.

— Какая глупость! — громко сказала Мадлен.

— Что? — уточнил следователь.

— Я видела, — кивнула Мадлен, — как она трогала бокалы, а моя мать их отодвигала.

— И я, — добавила Анна.

Следователь посмотрел на Нерлингера. Их версия рассыпалась на глазах.

— Я тоже видела, — вспомнила Леся.

— Вы не совсем понимаете, что сейчас происходит, — сказал Нерлингер. — Мы проверили отпечатки пальцев всех присутствующих и пришли к выводу, что на бокале погибшей были отпечатки рук ее младшей сестры. Возможно, она случайно оставила их, когда бросила туда какое-то лекарство. Возможно, забыла про них. Но в любом случае у нас была конкретная версия происшедшего преступления. А теперь, когда герр Дронго вспомнил об этом невероятном эпизоде с бокалами, который вы все подтвердили, у нас опять нет никаких версий. И если исключить саму фрау Сюзанну, а также вашу дочь, герр Крегер, — обратился он к Герману, — то остаются только девять человек, присутствующих в этой гостиной, которые по-прежнему будут у нас под подозрением. И тогда мы должны начать проверку заново, так как можем гарантировать, что среди вас девятерых находится убийца фрау Марты.

Снова наступило долгое молчание.

— Значит, мы должны были сдать несчастную женщину, чтобы все остальные чувствовали себя спокойно? — первой возмутилась Эмма. — Никогда в жизни. Господин Дронго — профессиональный эксперт по вопросам преступности и знает, что именно говорит.

— Простите, — вмешался Нерлингер, — мы считали, что он ваш друг, и не спрашивали о его профессии. В каком ведомстве работает ваш знакомый?

Эмма перевела вопрос, и Дронго ответил:

— Я был экспертом специального комитета экспертов ООН и работал в качестве приглашенного аналитика с Интерполом. Вы можете сделать запрос в Лион, и там это подтвердят.

— Обязательно сделаем, — сказал Нерлингер. — А пока мы просто обязаны понять, что именно здесь происходит. Если фрау Сюзанна не виновата, то в этом преступлении виноват кто-то другой.

— Скажите ему, что ни один убийца не будет хватать бокал, чтобы бросить в него яд, — попросил Дронго, когда Эмма перевела ему слова инспектора. — А при свечах было достаточно света, чтобы не перепутать бокал Марты с другим бокалом. Поэтому Сюзанна не стала бы трогать бокал, чтобы влить в него яд для сестры.

Эмма снова перевела слова эксперта. Нерлингер неприятно усмехнулся. Этот Дронго начинал действовать ему на нервы.

— Скажите ему, что мы все понимаем, — посоветовал инспектор, — но мы все равно заберем фрау Сюзанну на комплексную психиатрическую экспертизу. Это наш долг, если хотите.

— Я поеду с вами, — решил Герман. — Ей одной будет сложно.

— Как хотите, — ответил Нерлингер. — И учтите, что мы пока не снимаем подозрения и с других участников вашей вчерашней встречи. У меня будет к вам одна просьба. Если можно, не покидайте этот дом до нашего возвращения. Я позвоню в клинику, чтобы пригласили экспертов и проверили состояние здоровья и дееспособности фрау Сюзанны. На всякий случай мы оставим двух офицеров в машине, припаркованной к вашему дому. Это в качестве вашей охраны.

— У меня столько дел в банке, — вспомнил Берндт. — Неужели так обязательно держать нас здесь под домашним арестом?

— Мы попали в уникальную ситуацию, — заявил Нерлингер. — Вчера вечером в вашем доме не было посторонних. Но фрау Марту отравили, и мы теперь в этом абсолютно уверены. Если это не сделала ее младшая сестра, то убийца до сих пор находится в этой комнате. Значит, мы просто обязаны его вычислить, как долго для этого нам ни пришлось бы работать. Но нам нужно время. И желательно сделать так, чтобы вы не разъезжались до тех пор, пока мы не примем определенного решения. Возможно, нам понадобятся дополнительные проверки.

— А если сегодня вы не закончите? — разозлился Берндт. — Сколько тогда мы должны будем сидеть в этом доме под охраной ваших офицеров? День, два, неделю, месяц? Или вы считаете подобные методы работы тоже в порядке вещей?

— Мы постараемся в любом случае принять какое-то решение за сегодняшний день, — пришел на выручку инспектору следователь Менцель. — А вас попрошу не нервничать и спокойно подождать, пока мы попытаемся во всем разобраться. Можете находиться в доме, обедать и смотреть телевизор.

— Только обеда нам и не хватало рядом с неизвестным отравителем, чтобы следующей жертвой стал кто-то из нас, — зло произнесла Леся.

— Не нужно так говорить, — попросила Эмма. — Мы все сейчас в одинаковом положении и все переживаем из-за случившегося.

— Вы можете подняться с ней и переодеть ее в более подходящий костюм, — попросил Менцель Германа.

Тот посмотрел на свою жену.

— Я вам помогу, — согласилась Анна. — Мы вместе поднимемся в ее комнату. Может, мне тоже с вами поехать?

— Нет, — возразил Менцель, — достаточно вашего супруга. А вы оставайтесь здесь, со своими родственниками.

— Поднимемся вместе, — решил Герман, — идемте, тетя Сюзанна, нам нужно будет переодеться, чтобы поехать кое-куда.

— Куда мы поедем? — спросила Сюзанна.

— Там будет интересно, — успокоил ее племянник.

Они втроем вышли из-за стола и поднялись наверх, в комнату Сюзанны. Оставшиеся смотрели на Нерлингера, ожидая дальнейших объяснений.

— Мы постараемся быстро вернуться, — сказал инспектор.

Эксперт, работавший с отпечатками пальцев, забрал свой компьютер и электронную машинку для снятия отпечатков и вышел из гостиной. Менцель и Нерлингер вышли в коридор.

— Неужели она могла убить свою сестру? — спросила Леся. — Или она только притворялась больной? Может быть, она все время ненавидела свою старшую сестру, которая ее во всем ограничивала, и решила таким странным образом отомстить?

— Это уже бред сивой кобылы в лунную ночь, — всплеснула руками Эмма. — Такое ощущение, что на психиатрическую экспертизу нужно везти не фрау Сюзанну, а фрау Пастушенко, которая выдвигает таких дикие предположения.

— Хватит, Эмма! — перебил Арнольд. — Всякому ерничеству когда-нибудь должен наступить конец. Ты лучше скажи, куда забирают тетю Сюзанну?

— Наверно, в психиатрическую клинику, — предположила Мадлен. — Несчастная тетя. Она не всегда отдает себе отчет в том, что делает.

— Они все проверят, — возразила Леся. — Гораздо интереснее, кто именно мог убить вашу маму.

— Не нужно со мной спорить, — резко сказала Мадлен, — это не в ваших интересах, фрау Пастушенко!

Леся хотела что-то сказать, но муж довольно заметно стукнул ее локтем своей руки в бок, и она замерла, так ничего больше не сказав.

— Напрасно он на ней женился, — свистящим шепотом произнесла Эмма. — Арнольд тоже дурачок и альфонс. Выбрать себе молодую жену, которую он согласился взять вместе с ее папой, владельцем овощного магазина.

Вернулись Сюзанна и ее сопровождавшие. Анна надела на тетю своего мужа плащ и даже перекрестила ее.

— Идемте гулять? — оживилась Сюзанна.

— Да-да, — кивнул Герман, взяв ее за руку, — обязательно пойдем.

— Проводи меня тоже в нашу комнату, — попросила Мадлен, обращаясь к мужу.

Тот кивнул, протягивая руку, и они вместе с супругой поднялись по лестнице наверх. Нерлингер удовлетворенно кивнул, когда Герман помог своей тете выйти из дома и усадил ее в машину полиции, а сам уселся рядом. Через несколько минут они все уехали, и перед домом действительно осталась только одна машина с двумя сотрудниками полиции.

Пастушенко о чем-то негромко переговаривались. Арнольд достал сигареты, намереваясь выйти из гостиной. Жена последовала за ним. Очевидно, она тоже курила. Анна отправилась вместе с Калерией Яковлевной на кухню. Эмма взглянула на Дронго.

— Кажется, мы снова остались одни, — негромко сказала она, — все разбрелись по дому, и мы снова остались одни. Как вам понравился этот глупый спектакль, который устроили наши бравые немецкие полицейские? Они, видимо, считают нас дураками, если соорудили такую нелепую и наивную провокацию, решив обвинить во всем несчастную тетю Сюзанну. А вы вмешались и сорвали их «гениальный план».

— Вы напрасно иронизируете, — сказал Дронго, — это не было провокацией. Они искренне хотят разобраться, и у них появился шанс вычислить убийцу, когда на бокале были найдены отпечатки пальцев. Но вдруг выяснилось, что они принадлежат не совсем здоровой женщине — младшей сестре погибшей, и у них снова возникли вопросы. Но я точно помню, что фрейлейн Сюзанна трогала бокалы, перед тем как Марта отодвинула их в свою сторону. Поэтому и сказал об этом присутствующим. Я только не совсем понимаю, как в таком состоянии Сюзанну могли выпустить из клиники, где она лечилась? Ей намного лучше было бы оставаться в больнице, чем находиться в этом доме.

— Это все организовала Марта через своего родственника Зинцхеймера, — пояснила Эмма. — Ей обязательно нужно было вытащить Сюзанну из психушки и привезти домой. Специально для Сюзанны даже придумали такой термин, как «ограниченная дееспособность». То есть она немного соображает, но не все. Нужно было сделать так, чтобы Сюзанна оказалась дома, и тогда завещание их родственницы вступало в силу. У «ограниченно дееспособной» Сюзанны была бы опекунша Марта, которая могла распоряжаться всеми деньгами своей младшей сестры. И поэтому Сюзанну терпели в доме, а не сдавали в богадельню.

— Это вы уже говорили, — напомнил Дронго. — Но откуда у несчастной женщины мог оказаться яд? Даже крысиный? Ведь она должна была найти этот яд, спрятать его, сохранить, воспользоваться моментом, когда будут разливать шампанское, и бросить его в бокал своей сестры, чтобы никто не заметил. Слишком много допущений и вероятностей. И это для человека с такими психическими заболеваниями, у которого в любой момент мог произойти какой-нибудь срыв. В такое просто невозможно поверить. Именно поэтому я и вспомнил, что она трогала бокалы и просила дать ей немного вина.

— И разбили их стройную теорию, — усмехнулась Эмма.

— В этом вы не правы. Их прямая обязанность — искать и находить преступников. Экспертиза сделала конкретное и весьма категорическое заключение, что Марта умерла от сильного отравления токсическими веществами. И такой яд нашли в ее бокале. Значит, его кто-то туда положил. Версию о случайно оставшемся в бокале яде спишем на бурное воображение Германа. Так просто не бывает. В бокале должна быть достаточно мощная концентрация яда, чтобы так быстро убить человека. А бокалы были пустые, это я точно помню.

— Немецкие полицейские вам явно не верят, — напомнила Эмма. — Но все равно неприятно даже предположить, что Сюзанна могла бросить в бокал яд. Но если не она, то кто тогда убил Марту?

— Судя по всему, здесь произошло не просто убийство, — задумчиво произнес Дронго. — Есть какой-то фактор, о котором мы пока не знаем.

— Здесь, по-моему, уже никто и ничего не понимает, — согласилась Эмма. — Если бы я знала, что здесь может произойти преступление, я бы никогда в жизни не предложила вам приехать со мной на юбилей Марты. Это просто ужасно. Она была еще не очень старой женщиной, только шестьдесят пять лет.

— Кажется, вы начинаете относиться к ней гораздо лучше, чем раньше.

— Она умерла, и поэтому мне ее жалко, — призналась Эмма. — И несчастную тетю Сюзанну мне тоже жалко.

Она тяжело вздохнула. В гостиную вернулась чета Пастушенко. Арнольд снова с кем-то разговаривал по телефону. Леся посмотрела на сидевших за столом Эмму и Дронго. Открытая неприязнь промелькнула у нее во взгляде. Но она больше ничего не говорила. Только поинтересовалась:

— Может, нам попросить у Калерии Яковлевны чай или кофе? Мы утром не успели даже позавтракать и сразу поехали сюда, чтобы не раздражать офицеров полиции.

— Не боишься? — ядовито поинтересовалась Эмма. — В твоем кофе может оказаться порция яда, которым убили свекровь моей сестры.

— Не боюсь! Я никому и ничего плохого не сделала, чтобы меня убивать, — парировала Леся. — Убивают и грабят обычно очень плохих людей. Или очень лживых, — сказала она, глядя своей собеседнице прямо в глаза. Эмма, не выдержав ее взгляда, отвернулась. Леся, усмехнувшись, продолжала: — А я всегда старалась быть хорошим человеком. Возможно, Пастушенко пройдет на кухню и попросит нашу домоправительницу приготовить нам кофе.

Арнольд кивнул, поднялся и быстро прошел на кухню. Леся уселась на стул и стала раскачиваться из стороны в сторону, словно на молитве. Эмма, явно сдерживаясь, тихо сказала Дронго:

— Она у нас занималась йогой, поэтому немного на ней чокнутая. И где только Арнольд откопал такую неприятную особу? Не могу вообще понять, как они живут вместе.

— Они сами способны оценивать свои чувства, — возразил Дронго, — поэтому не судите других по собственным меркам. Каждый человек сам решает для себя, как ему жить и как строить собственное счастье.

Он него не укрылось, как Леся и Эмма смотрели друг на друга. Эта маленькая сценка была выразительной. Леся посмотрела на часы. Муж явно задерживался.

— Неужели ему так трудно заказать обычный кофе? — недовольно сказала она.

— Калерия Яковлевна там не одна, — пояснил Дронго и только потом увидел расширяющиеся от досады глаза Эммы. Очевидно, не следовало вообще говорить об этом.

Леся быстро поднялась, поправила прическу и поспешила в столовую, чтобы узнать, почему Арнольда так долго нет.

— Побежала, — удовлетворенно произнесла Эмма. — Сразу побежала, чтобы не оставлять Арнольда рядом с моей сестрой. Вам не следовало говорить, что Калерия там не одна. Она перепугалась и сразу побежала на кухню, чтобы увидеться с домоправительницей и заодно не допустить слишком тесного общения своего мужа с Анной.

— Похоже, что она до сих пор ревнует своего супруга к вашей сестре, — заметил Дронго.

— Конечно. Они ведь учились в одном классе, и Арнольд был первой любовью Анны. Ничего особенного, такие романтические встречи бывают у школьников. Он тогда был самым высоким и самым красивым мальчиком в их классе. Если спросить Лесю, то она считает, что они до сих пор любят друг друга, хотя Анна уже давно разочаровалась в этом долговязом идеале своей девичьей любви и не испытывает к нему никаких чувств. Это я вам говорю абсолютно ответственно.

— Я вам верю. Нужно, чтобы поверила Леся. Теперь я понимаю, почему она с таким ожесточением вчера спорила с вами. Очевидно, вы раздражаете ее одним фактом своего родства с Анной.

— Верно, — кивнула Эмма. — Она считает себя самой умной. А на самом деле дура. Обычная пустышка. Даже со всеми его недостатками Арнольд достоин был лучшей партии.

Из столовой вышли Анна, Леся и Арнольд Пастушенко. Анна сразу подошла к сестре.

— Я уже попросила, чтобы нам приготовили кофе, — сообщила она. — Пойду наверх, посмотрю, как себя чувствует Ева. Она не спала всю ночь, ей снились какие-то кошмары, только под утро заснула.

— Бедная девочка, — вздохнула Эмма. — Представляю, как она вчера перепугалась, когда увидела, как ее бабушку несут на диван. Я бы умерла от страха.

Анна пошла к лестнице. Арнольд с явным раздражением посмотрел на жену.

— Ты выглядишь довольно смешно, когда бегаешь за мной по всем комнатам, — громко сказал он. — Это становится уже совсем неприличным.

— А тебе обязательно оставаться с ней на кухне вдвоем? — зло поинтересовалась Леся.

— Мы были не вдвоем, а втроем. Там еще была Калерия Яковлевна.

— Ну да. Глухая и слепая кухарка, которая ничего не слышит и не видит.

— Она плохо слышит, но все видит...

— И поэтому ты пошел за Анной на кухню. — Было заметно, как нервничает Леся, уже повышая голос и не обращая внимания на находившихся в гостиной Дронго и Эмму.

— Замолчи, — приказал Арнольд, — твое поведение меня уже достало! Больше ты со мной никогда сюда не приедешь. Ты все поняла?

— Тебе нужно приезжать сюда одному, чтобы в присутствии ее идиота-мужа, который до сих пор ни о чем не догадывается, встречаться со своей первой любовью, — огрызнулась Леся.

— Замолчи, дура! — Пастушенко толкнул жену и посмотрел на Эмму. — Она иногда бывает несносна, — пояснил он.

Леся вспыхнула и, сдерживая слезы, выбежала из гостиной. Немного подумав, Арнольд последовал за ней. Из коридора доносились их голоса. Они опять о чем-то спорили.

— Напрасно он на ней женился, — убежденно произнесла Эмма. — Так они долго не протянут, наверняка разведутся.

Дронго, соглашаясь, кивнул. Спор между супругами раздражал его, но он чувствовал, как где-то в глубине его души нарастает смутное ощущение беспокойства и тревоги. Словно здесь снова могла произойти трагедия. Пока никто из находившихся в доме даже не предполагал, что через полтора часа здесь произойдет еще одно убийство.

Глава 10

Когда они снова остались одни, Эмма предложила своему гостю посмотреть библиотеку, находившуюся в другой половине здания. С тех пор как дом вернулся в собственность родственников Марты, в библиотеке почти никто не бывал, если не считать сотрудников профдезинфекции, которые боролись там с крысами, и Калерии Яковлевны, иногда приходившей туда, чтобы вытереть пыль. Библиотека была небольшая, но стоявшие в ней стеллажи тянулись до потолков. Это была довольно глухая комната с одним-единственным окном, выходившим во двор. Очевидно, здесь и проходили встречи агентов гестапо со своими кураторами, а потом и агентов «Штази» со своими руководителями.

Собранные в ней книги были в основном на немецком языке, которые были изданы в начале двадцатого века. Марта давно собиралась освободить эту комнату, выбросить все книги и сделать из нее спальню для Калерии Яковлевны, но та категорически отказывалась переезжать в пыльную и глухую комнату, вызывавшую у нее необъяснимый страх.

Эмма привела сюда Дронго, показывая ему на стеллажи с книгами.

— Я все время думаю о владельцах этих изданий, — призналась она. — Наверное, их собирали, читали, перелистывали. Может, где-то остались их заметки, закладки, наброски. Нужно просмотреть каждую книгу, пролистать каждый фолиант. Но у Марты не доходили до этого руки, Калерия Яковлевна только убирала пыль, а больше сюда никто не входил. Вот такая заброшенная библиотека.

— Нужно было давно сдать все книги в общественную библиотеку, — предложил Дронго, — чтобы они не пылились в этом доме. Хорошо еще, что библиотека находится в угловой комнате. Представляю, сколько здесь моли и всевозможных книжных жучков, не говоря уже о крысах и другой нечисти.

— Марта каждый год проводит дезинфекцию, — возразила Эмма, — но вообще-то вы правы. Если никто не читает эти книги, то они постепенно умирают. Говорят, что хорошие скрипки умирают, если на них не играют музыканты. А бриллианты и жемчуг тускнеют без общения с человеком. Наверно, так же умирают и книги, когда их долго не касается рука человека.

— Если в доме долго не живут, он приходит в запустение, — согласился Дронго. — Если в библиотеку никто не ходит, она умирает. Хотя книги мне всегда жалко, ведь они средоточие мудрости и опыта живших до нас поколений.

— Скоро книги окончательно станут раритетом, — убежденно заявила Эмма. — В век Интернета бумажные книги уже никому не нужны.

— Вы так думаете? Говорили, что в век телевидения театры уже не будут нужны. Но они не только выжили, но и собирают полные залы. Я убежден, что книга, изданная на бумаге, будет существовать еще много лет. Ведь когда мы читаем какой-то текст в Интернете, то пользуемся им с помощью того самого Интернета и нашего компьютера. То есть всегда есть посредники, которых не должно быть при общении человека с книгой. Иначе говоря, с разумом древних и мудрых людей. Мы не терпим в таких случаях посредников. Как и в общении с Богом, если человек истинно верует. Все эти священники, попы, муллы, раввины — всего лишь посредники между Богом и человеком. А я не уверен, что человеку нравится, когда истину Бога ему доносят через этих посредников, среди которых так много бессовестных и корыстных людей.

Эмма улыбнулась.

— С вами интересно, — задумчиво произнесла она, — хотя я и чувствую себя не в своей тарелке. Кажется, вы первый человек в моем окружении, кто даже не пытается со мной флиртовать. Ужасно обидно. Я смотрю на себя в зеркало и пытаюсь понять: что происходит? Либо я так изменилась в худшую сторону, либо просто вам не нравлюсь, либо есть какая-то другая причина...

— Никакой причины, — быстро сказал Дронго, — вы красивая и молодая женщина, которая можт вызвать только восторг у мужчин. Если вспомнить историю нашего общения за последние несколько дней, то согласитесь, что это пошло и неправильно — флиртовать с вами на фоне разыгравшейся здесь трагедии.

— Получается, что Марта и здесь перешла мне дорогу, — лукаво заметила Эмма.

— Скорее мой несносный характер, — возразил Дронго. — То, что здесь произошло, меня ужасно тяготит. Кажется, впервые за много лет я не совсем понимаю мотивы и цели убийцы.

— А если следователи правы и Сюзанна действительно ее отравила? — предположила Эмма. — Такой вариант вы полностью исключаете?

— Не совсем. У Сюзанны могло накопиться раздражение к своей старшей сестре. Марта ее постоянно перебивала, одергивала, злилась, излишне опекала. На месте Сюзанны другая женщина давно бы отказалась от подобной опеки. Но Сюзанна терпела. Понятно, что у нее могли быть мотивы для убийства своей старшей сестры. Но меня очень смущает один момент. Убийца не стал бросать отраву в бокал с белым вином, понимая, что пузырьки от яда станут свидетельством его преступления. А вот когда налили пенящееся шампанское, бросил. Продумать такие детали Сюзанна не могла — это абсолютно точно.

— Тогда скажите, кто это сделал? — попросила Эмма. — Мы уже два дня пытаемся что-то выяснить. Но никто не видел и не знает, как убийца бросил яд в бокал Марты.

— Я тоже пытаюсь все продумать, — признался Дронго, — и чем больше думаю, тем больше запутываюсь. Конечно, все было бы гораздо легче, если бы выяснилось, что именно Сюзанна нанесла этот роковой удар, бросив яд в бокал своей старшей сестры. Но боюсь, что на такую хитрость у нее просто не хватило бы ни ума, ни воли.

— Если честно, то я уже ничего не понимаю, — призналась Эмма. — Как вы считаете, моя бывшая свекровь должна была оставить завещание?

— Не думаю, — ответил Дронго. — В шестьдесят пять жизнь еще не заканчивается, чтобы думать о завещании. Судя по ее здоровью и характеру, она собиралась прожить еще долгие годы. Поэтому вряд ли она написала завещание. Но если вы думаете о доме, то после смерти Марты он должен принадлежать Герману и Мадлен в равных частях.

— А сестра?

— Современное гражданское право было создано на основе классического французского гражданского права — так называемого Кодекса Наполеона, позаимствованного еще у древнего римского гражданского права, — пояснил Дронго. — И понятно, что эти нормы вырабатывались тысячелетней практикой. Поэтому дом отойдет к детям Марты, а сестра может получить свою долю только в случае возможного завещания. Обычно родственниками первой очереди считаются муж или жена. Вторая степень родства — дети и родители, третья — внуки и бабушки с дедушками, четвертая — братья и сестры. Вот такая градация. Хотя я рассказываю вам в основном, как это было в бывшем советском гражданском праве. Возможно, в западногерманском праве имелись свои нюансы, но, в общем, все законы так или иначе базируются на подобных общечеловеческих ценностях. Идемте в гостиную, кажется, там уже все собрались.

Они вернулись в гостиную. За столом уже сидела спустившаяся сверху Мадлен с опухшим от слез лицом и красными глазами. Рядом устроился мрачный Берндт, который был зол из-за того, что сегодня не сможет попасть в банк, на работу. Около них сидела семья Пастушенко. Леся была мрачнее всех, очевидно, она получила серьезную взбучку от своего мужа. Арнольд пытался улыбаться, но улыбка получалась натянутой. Анна спустилась вместе с дочкой, которую посадила рядом с собой. Дальше сидели Эмма и Дронго. Едва они расселись за столом, как в гостиную вошел Герман. Он пояснил, что оставил тетю Сюзанну в клинике. Профессор, который пытался побеседовать с Сюзанной, предложил дать ей возможность отдохнуть и приехать за ней часа через три. Герман весело рассказывал, как Сюзанна заснула, не отвечая на вопросы психиатра, специально приглашенного для беседы с ней.

Калерия Яковлевна принесла поднос с чашечками кофе. Дронго отказался от своего кофе, попросив принести ему чашку чая. Калерия Яковлевна кивнула и вышла из гостиной. Через минуту она появилась, выкатив на тележке вчерашний торт, и подала Дронго чашку с чаем. Еще одну чашку с чаем она принесла для Евы.

— Прекрасная идея, — обрадовалась Анна, — как раз все смогут попробовать этот торт.

— У тебя не осталось ничего святого, — набросилась на нее Мадлен. — Это был торт, сделанный в честь юбилея моей мамы, а ты думаешь только о том, как всех поразить.

— Торт вкусный, — возразила Анна, — и если его не съесть в ближайшее время, то вскоре придется выбросить.

— Значит, мы его выбросим, — громко сказала Мадлен. — Неужели тебе непонятно, как нам всем неприятно видеть этот торт?

— Унесите торт, Калерия Яковлевна, — дрогнувшим голосом предложила Анна. — Я и не думала, что здесь такие вредные люди.

— Есть дети, потерявшие свою мать, — напомнила Мадлен, — и есть дамочки, которых интересует только десерт. Либо в виде торта, либо в виде ее старого друга.

— Что ты хочешь сказать? — накинулась на Мадлен Эмма, понимая, что ее сестре нужна сейчас поддержка.

— Ничего, — отрезала Мадлен. — Я уже поняла, что, кроме меня, никто не будет переживать. Ни мой брат, ни его жена, ни их родственники. Только анекдоты, смешки и торт, который моя несчастная мать так и не попробовала. А вы готовы его сожрать, даже не вспоминая маму.

— Мадлен, ты напрасно так говоришь, — мрачно сказал Герман. — Я не меньше тебя любил маму. Просто нельзя сидеть и все время плакать. И тем более кого-то обвинять.

— По-твоему, лучше устраивать веселое чаепитие с тортами? — выкрикнула Мадлен.

— Ты не права, — мягко сказал Герман, — мы все любили маму. Возможно, это просто несчастный случай или тетя Сюзанна перепутала свой бокал с бокалом мамы и положила туда какое-то свое сильнодействующее лекарство. Сейчас уже работают врачи, которые пытаются определить, что именно выпила мама перед смертью. И не стоит нас так упрекать, мы все переживаем, — произнес Герман.

— Вижу, — зло произнесла Мадлен, — вижу, как это горе просто надломило твою супругу и ее сестру.

— При чем тут ее сестра? — не понял Герман.

— При том! — отрезала Мадлен. — И вообще все эти неприятности начались после твоей женитьбы. Если бы у тебя было немного больше понимания и разума, все могло сложиться иначе.

— О чем ты говоришь? — все еще не понимал Герман.

— Она сама не знает, о чем говорит, — быстро произнесла Эмма, — лишь бы сказать очередную гадость про нашу семью. — Она хотела добавить, что Мадлен в этом очень похожа на свою мать, но сдержалась. Сейчас ей не хотелось препираться с дочерью погибшей. Это было бы не совсем честно с ее стороны.

Дронго наклонился к Эмме и тихо спросил:

— Они все время намекают на какую-то тайну, которую не знает Герман. Или он знает и не хочет этого показывать. Сначала супруга Пастушенко, сейчас сестра Германа. Можно узнать, о чем идет речь?

— Просто глупые намеки, — покраснела Эмма, — ничего особенного.

— Вы не умеете лгать, — строго сказал Дронго. — Достаточно на вас посмотреть, чтобы это понять. На какую тайну они намекают?

— Давайте потом, — попросила Эмма, явно нервничая.

Дронго удивленно взглянул на нее. Она не нервничала так, даже когда погибла Марта. Похоже, что этот секрет значительнее смерти хозяйки дома. Он перевел взгляд на Анну, потом на ее дочь.

— Восемь лет назад в Германии снова появился Арнольд Пастушенко, — вспомнил Дронго, — первая любовь вашей старшей сестры.

— Тише, — попросила Эмма, дотрагиваясь до руки сыщика, — не нужно так громко.

— Значит, все правильно, — понял Дронго. — Девочка слишком быстро растет. Она не похожа на приземистого Германа с глубоко посаженными глазами, а скорее на высокого...

— Не нужно больше ничего говорить, — буквально взмолилась Эмма, — нас могут услышать. Для Анны с Германом это очень неприятная тема. Никто не мог тогда подумать, что все выйдет таким образом. Это самая большая трагедия в жизни моей сестры.

— О чем вы говорите?

— Потом расскажу. Но Герман знает, что девочка не от него. Анна не стала ничего скрывать.

Они разговаривали очень тихо. Все привыкли к тому, что Эмма обычно переводит для своего гостя все разговоры, которые проходили на немецком языке. Дронго снова посмотрел на девочку. Конечно, она больше похоже на Арнольда Пастушенко, чем на человека, считающегося ее отцом. Когда сравниваешь Арнольда и Германа, разница сразу бросается в глаза. И становится понятным, на кого может быть похожей девочка.

— Только ничего не говорите! — шепнула Эмма. — Наверно, он сам где-то проболтался, и Леся каким-то образом об этом узнала. Поэтому она нас всех так ненавидит. И ходит сюда только для того, чтобы не отпускать мужа одного. Ненавидит и ходит. Вот такая у нее собачья жизнь.

— Ваша сестра и Арнольд до сих пор любовники?

— Господи боже ты мой, разумеется, нет. Это была тогда случайная встреча через много лет после расставания. Анна была уже замужем. Она потом мне рассказывала, что сама даже не поняла, как это случилось. Неожиданно в ней проснулось чувство ностальгии, прежней дружбы, прежней любви. Это была только одна встреча, и получилась такая неприятность. Она забеременела. Врачи категорически запретили делать аборт, пояснив, что тогда у нее больше никогда не будет детей. И она решилась рожать. Вот такая печальная история.

— Если есть здоровый ребенок, то история не печальная. Вы говорили мне, что с вашим отцом вы переживали по поводу возможных генетических мутаций, которые могли передаться девочке из-за частично потерявшей разум Сюзанны.

— Тогда мы с отцом ничего не знали о девочке — чья она и от кого, — пояснила Эмма. — Отцу до сих пор и в голову не может прийти, что Анна могла решиться на такое. Он просто никогда в это не поверит. А мне Аня потом все рассказала.

— У каждой семьи свои собственные тайны, — сказал Дронго.

Он попробовал свой уже остывший чай. Арнольд рассказывал о случае, происшедшем в Киеве, когда отравилась половина молодежной команды из-за некачественного торта, приготовленного с нарушением всех технологий.

— Это не наш случай, — возразил Берндт, — у нас фрау Марта даже не попробовала нашего торта.

— Не сомневаюсь, что им нельзя было отравиться, — сказал Пастушенко, — ведь Анна заказывала его в хорошем ресторане.

— В любом случае мы не станем пробовать этот торт, — быстро проговорила Мадлен.

В этот момент в коридоре зазвонил телефон, и Калерия Яковлевна прошаркала туда, чтобы ответить. Оттуда она позвала Германа.

— Это фрейлейн Сюзанна, — крикнула она, — проснулась и хочет с вами поговорить!

Герман отправился в коридор. За ним, прислушиваясь к его разговору, поднялись и все остальные.

— Я все понял, — сказал Герман на прощание. — Не беспокойтесь, тетя Сюзанна, я скоро приеду.

— Слава богу, — с чувством произнесла Калерия Яковлевна, — ее хотя бы там не мучают.

Она повернулась и медленно пошла обратно, мимо стола, направляясь на кухню. Все вернулись к столу.

— Кофе уже почти холодный, — сказал Арнольд. — Нужно попросить, чтобы нам принесли еще по чашечке. Он как-то бодрит. А то чувствуешь себя отвратительно, будто заключенный.

— А у меня осталось немного кофе, — показала на свою чашку Леся. — Я допью и попрошу принести мне зеленый чай.

— Я тоже буду зеленый чай, — неожиданно поддержала ее Эмма.

Леся подняла свою чашку и выпила кофе. Поставила чашку на стол и как-то неуверенно улыбнулась.

— По-моему, я вчера простудилась, — призналась она, — кофе немного горчит.

— Мы все со вчерашнего дня немного не в форме, — заявил Герман. — Если они отпустят тетю Сюзанну, то, значит, понимают, что это мог быть обычный несчастный случай.

— Правильно, — согласился Берндт. — И вообще мы тоже должны потребовать, чтобы они наконец предъявили кому-то конкретное обвинение или перестали бы держать нас в этом доме под домашним арестом. Так глупо сидеть здесь в ожидании, когда психиатры наконец сделают свое заключение.

— У меня кружится голова, — вздохнула Леся. — Нужно было взять чай, как господин Дронго, кажется, мне лучше лечь.

— Только не на диван, — пошутил Арнольд, — это дурной знак.

— Помоги мне подняться, — попросила Леся. Все заметили, как она побледнела. Арнольд повернулся к ней. Женщина попыталась подняться и рухнула ему на руки.

— Что случилось? — тревожно спросил он. — Что с тобой?

— Кажется, меня тоже отравили, — сообщила Леся.

— Что? — не понял Пастушенко.

И в этот момент она начала сползать вниз, словно оставшаяся без тела одежда. Арнольд с трудом ее подхватил.

— Что происходит?! — закричал он. — Помогите! Помогите мне!

Сидевший рядом Берндт помог ему подхватить умирающую и перенести на диван. Дронго поспешил к ним. Он взял руку женщины. Пульса уже не было. Глаза закатились. Ничем нельзя было помочь.

— Она умерла, — сказал Дронго во внезапно наступившей звенящей тишине. — Ее отравили. Можно даже не проверять, симптомы те же.

— Не может быть, — прошептал потрясенный Пастушенко, — этого просто не может быть.

Глава 11

Появившаяся в гостиной Калерия Яковлевна услышала последние слова Дронго и Арнольда Пастушенко. Она выпустила из рук две чашки с кофе, которые упали на пол вместе с тарелками и разлетелись в разные стороны. Шум разбитой посуды заставил всех вздрогнуть.

— Нужно вызвать «Скорую помощь», — прошептал Арнольд.

Стоявший рядом Дронго покачал головой.

— Уже ничего не поможет, — мрачно сказал он, — лучше сразу вызывать полицию.

— Господи! — крикнула Анна. — Сколько можно?!

— Мама, что случилось с тетей Лесей? — спросила Ева.

— Ничего, ничего, — забормотала Анна. — Она спит.

— Как бабушка Марта? — задала следующий вопрос девочка, и все невольно вздрогнули. Аналогия была абсолютной.

— Пойдем, — решительно взяла Анна дочь за руку. — Мы поднимемся наверх и останемся там, пока не приедет полиция.

— Опять вы первыми отсюда выйдете? — не сдержалась Мадлен.

— На вашем месте я бы не стал этого делать, — неожиданно поддержал женщину Берндт. От волнения он говорил по-немецки.

— Что вы хотите сказать? — спросила Анна.

— С нами нет тети Сюзанны, — напомнил банкир, — и, значит, в этот раз мы не сможем списать смерть супруги господина Пастушенко на несчастную женщину.

— Это я понимаю. При чем тут мой ребенок и я? — спросила Анна.

— Уже второй раз случайно девочка оказывается здесь в тот момент, когда происходит отравление, — объяснил Берндт. — И во второй раз вы, пользуясь тем, что она маленькая девочка, пытаетесь увести ее из этой комнаты.

— Что он сказал? — спросил Дронго.

— Какой негодяй! — с чувством произнесла Эмма. — Он во всем обвиняет мою сестру.

— В чем именно?

Эмма быстро перевела слова Берндта.

— Ты с ума сошел? — спросил Герман. — Что ты себе позволяешь? При чем тут Анна и наша дочь? Как ты смеешь их подозревать?

— Я никого не подозреваю, — возразил Берндт. — Я говорил только о странных совпадениях. Два раза в этой комнате убивают людей, и оба раза здесь случайно оказывается девочка, которую мать должна срочно увести наверх. И она единственная, кто выходит из этой комнаты без всякой проверки.

— Что вы хотите сказать? — едва сдерживаясь, спросила Анна. Она готова была разрыдаться.

— Никто не выйдет отсюда до приезда полиции, — твердо решил Берндт. — Никто, включая вашу дочь. Мы обязаны наконец положить конец этому безумию. Чужие сюда не входили. Кроме нас, в доме никого нет. И в этой комнате нас только девять человек. Нас осталось только девять человек, — сказал Берндт, — и я не хочу, чтобы здесь убили еще кого-нибудь.

— Мама, что случилось с тетей Лесей? — снова спросила Ева.

— Ничего, — успокоила ее мать, — она заснула. Просто устала и легла. Ты не смотри в ту сторону. — Она обвела взглядом мужчин. — Можете, наконец, принести хотя бы скатерть или простыню, чтобы ее накрыть? Или у вас не хватает ума понять, что ее нельзя так оставлять.

— Я принесу, — предложила Калерия Яковлевна.

— Нет, — возразил Берндт, — все должны оставаться в этой гостиной и не выходить отсюда до приезда полиции. Только в этом случае они смогут найти возможного убийцу. Я думаю, что вы не сомневаетесь, что убийца до сих пор находится среди нас.

Все мрачно оглядывали друг друга. Берндт сидел рядом с Мадлен. Герман находился около Анны и Евы. Чуть дальше сидела Эмма. Дронго и Арнольд Пастушенко стояли у дивана. Калерия Яковлевна прислонилась к дверному косяку.

— Девять человек, — повторил Берндт, — и один из нас уже серийный убийца.

— Девять, это включая нашу девочку? — ядовито спросила Анна.

— Девять человек, — упрямо повторил банкир, — и каждый из нас был здесь во время убийства Марты. — Он достал телефон и набрал номер.

— Мне нужен инспектор Нерлингер или следователь Менцель, — попросил он. — Скажите, что говорит Берндт Ширмер. Да, это очень срочно. Нет, мне нужно поговорить конкретно с кем-то из них. Да, я буду ждать.

— Они снова приедут и будут снимать у нас отпечатки пальцев? — насмешливо произнесла Эмма. — Пусть придумают что-нибудь другое. Тоже мне профессионалы. Обвинили в убийстве несчастную тетю Сюзанну. Интересно, кого они найдут в этом случае. Наверно, свалят на маленькую Еву или скажут, что Калерия Яковлевна плохо помыла чашки для кофе. Или вообще заварила кофе с ядом.

— Не нужно так говорить, — попросил Герман. — Я уверен, что они смогут разобраться.

— В чем разобраться? — спросил молчавший до сих пор Пастушенко. — Сейчас у вас на глазах убили мою жену, а мы сидим и гадаем, как и кто это мог сделать. Мы же не дураки, и не нужно делать из нас кретинов. Кто-то сначала отравил Марту, а теперь и мою жену. И не нужно рассказывать нам о плохо помытых чашках. Кто-то специально отравил мою жену.

— Алло, — сказал Берндт, услышавший голос майора Нерлингера, — инспектор, это вы? Да, с вами говорит Берндт Ширмер. Нет, я знаю, что фрау Крегер будет у вас до вечера. Я говорю не о ней. У нас произошло еще одно убийство. Алло. Нет, я, конечно, не шучу. Какие могут быть шутки? Да, как раз в той самой комнате. Прямо в гостиной. И никто отсюда не выходил. Нет, я гарантирую, что никто отсюда не выходил. Мы все по-прежнему сидим в гостиной и ждем вашего приезда. Да, мы решили, что так будет правильно. Погибла Леся Пастушенко, супруга нашего друга Арнольда Пастушенко. Обязательно. Мы все будем ждать вашего приезда. Я им передам. До свидания.

Он убрал телефон, обвел взглядом всех присутствующих.

— Что он сказал? — спросила Мадлен.

— Просил нас не нервничать и сообщил, что немедленно выезжает. Потребовал, чтобы мы ничего не трогали и больше ничего не пили. Он будет минут через десять или пятнадцать.

— Ты правильно поступил, — поддержала Берндта супруга.

— Пусть приедет и во всем разберется, — согласился Герман, — иначе из-за этих подозрений мы просто возненавидим друг друга.

— Мама, — снова подала голос Ева, — а мне кажется, что тетя Леся не дышит. Она умерла?

— Нет. Она просто спит, — успокоила дочь Анна.

— Сделайте что-нибудь, — попросила Эмма, обращаясь к Дронго.

Он посмотрел на мужа погибшей. Тот снял пиджак, чтобы накрыть лицо погибшей.

— Нет, — возразил Дронго, — так она испугается еще больше. Укройте ее таким образом, словно она спит.

Пастушенко последовал совету сыщика, осторожно накрыл пиджаком тело жены.

Дронго удовлетворенно кивнул и подошел к столу. Он наклонился и понюхал чашку, из которой пила погибшая. Затем поднял голову.

— Что вы нашли? — спросила Мадлен. — В ее чашке тоже был яд?

— Я ничего не понял, — признался Дронго. — Там есть остатки кофе, и для экспертизы этого достаточно.

— Тогда скажите, кто туда бросил яд, — поинтересовался Берндт.

— Этого я не знаю. Но согласен, что убийца, возможно, находится среди нас.

Эмма вздрогнула и посмотрел на Дронго:

— Вы действительно так думаете?

— Чашки были вымыты, — напомнил сыщик. — Калерия Яковлевна принесла сюда шесть чашек кофе и две чашки чая для меня и Евы. Итого, восемь чашек, которые сейчас стоят на столе. И я уверен, что наличие яда в чашке нельзя объяснить случайным фактором или плохо вымытой посудой. Кофе налили всем, но погибла только супруга господина Пастушенко. Значит, яд попал в чашку уже в этой комнате.

— Что и требовалось доказать, — кивнул Берндт. — Поэтому я и считаю, что до приезда инспектора и следователя отсюда никто не должен выходить.

— Это только твое чудовищное предположение, — разозлилась Анна. — Можете подозревать меня в чем угодно, но я больше не позволю здесь оставаться Еве и сейчас подниму ее наверх. Девочке не место в комнате, где находится труп. Вы бы разрешили вашим детям оставаться в подобной обстановке и быть свидетелями этого ужаса?

— Я надеюсь, что мы никогда не попадем в такую ситуацию, — пояснил Берндт. — Но в любом случае будет правильно, если мы дождемся сотрудников полиции. Пойми, Анна, что это и в твоих интересах.

— Она принципиально не хочет слушать, — сказала Мадлен, — но я ее понимаю. Ты не прав, Берндт, она должна увести отсюда девочку.

— Сейчас приедет полиция, — покраснел ее
муж.

Внезапно Калерия Яковлевна подняла руку,
показывая на стол. Она не могла ничего сказать,
только пыталась выдавить какую-то цифру, но
звуки застревали у нее в горле.

— Что? — спросил Берндт. — Что вы хотите
сказать?

— Д-д-девять, — прошептала потрясенная Калерия Яковлевна, показывая на чашки.

Все быстро посмотрели на чашки, стоявшие
на столе. Она была права. На столе находилось
ровно девять чашек.

— Ну и правильно, — нерешительно произнесла Эмма, — нас девять человек, и девять чашек.
Что здесь необычного?

— Девять, — испуганно повторила Калерия
Яковлевна.

Дронго еще раз посмотрел на стол с посудой.
Чашки были красивые, фарфоровые, расписан-
ные на старые саксонские мотивы.

— Сколько у вас таких чашек на кухне? — быстро уточнил он, обращаясь к Калерии Яковлевны.

— Одиннадцать, — пояснила она. — Было двенадцать, но одна разбилась в прошлом году.

— И вы принесли нам девять чашек на девятерых, — решила помочь женщине Эмма.

— Она не могла принести девять чашек, — возразила Мадлен, она никогда не садится пить с нами за одним столом. Вы ошиблись, Эмма, — она принципиально сказала это громко и четко, — и вообще вы все время ошибаетесь. И вы, и ваша сестра. Здесь, на столе, должны быть только восемь чашек.

Все еще раз посмотрели на стол.

— Одна лишняя, — шепотом сказала Анна. — Почему здесь лишняя чашка?

— Не знаю, — ответила Калерия Яковлевна.

— Вы сказали, что чашек было одиннадцать, — напомнил Дронго, — восемь вы принесли нам. А где остальные три?

— На кухне, — ответила Калерия Яковлевна. — Я сейчас проверю.

Она повернулась, чтобы выйти.

— Нет! — крикнули одновременно Герман и Берндт. Настолько одновременно, что испуганно посмотрели друг на друга, словно голос каждого был эхом другого.

— Не уходите, — попросил Дронго, — лучше посидите здесь и вспомните, где еще могли быть чашки.

— Я вспомнила, — выдохнула Калерия Яковлевна. — Одна чашка осталась в комнате фрау Сюзанны. Я приносила ей утром чай.

— Опять тетя Сюзанна! — не скрывая своего раздражения, произнесла Мадлен. — Сколько можно обвинять эту несчастную женщину! Получается, что она, будучи в психиатрической клинике под надзором полиции, снова умудрилась кого-то отравить? Поневоле поверишь в привидения, которые живут в этом доме.

— Ее чашка осталась наверху? — уточнил Берндт.

— Да, — кивнула Калерия Яковлевна. Она чуть не упала от волнения.

Дронго взял стул и принес его пожилой женщине. Она тяжело опустилась на него.

— Чашка наверху, — подтвердила женщина.

— Тогда получается, что вместо вашей чашки кто-то принес чашку кофе с ядом и дал несчастной женщине, — предположил Берндт.

— Нет, — возразил Арнольд, — этого не может быть. Калерия Яковлевна поставила перед нами две чашки кофе. Я точно помню, что она поставила две чашки кофе, и мы его выпили. Но Леся выпила его не сразу, кофе был обжигающим, и она решила немного подождать, чтобы он остыл.

— Верно, — сказал Дронго, — я сидел напротив и все видел. Калерия Яковлевна поставила две чашки кофе перед ними, и Леся не сразу выпила свой кофе. Ваша версия, герр Ширмер, не выдерживает никакой критики. Если даже убийца заранее принес сюда чашку, то он должен был наполнить ее горячим кофе, то есть пройти на кухню, набрать кофе, положить яд и вернуться к столу. А мы все помним, что никто, кроме Калерии Яковлевны, на кухню не входил, когда она несла нам кофе и чай. Значит, чужую чашку подложить погибшей никто не мог.

— Господин эксперт, посмотрите на стол и посчитайте чашки, — предложила Мадлен, — здесь девять чашек. А это значит, что кто-то принес сюда лишнюю чашку.

— Я умею считать, — сказал Дронго. — И я уверен, что погибшая пила свой кофе, который отравили уже после того, как она начала его пить. Как раз в тот момент, когда мы все поднялись и не обращали внимания на стол.

— Все, кроме девочки, — напомнил Берндт.

— Ты переходишь всякие границы, — сурово сказал Герман. — Что опять ты хочешь сказать? Что она отравила фрау Пастушенко?

— Нет. Но она могла видеть, кто это сделал.

Герман перевел взгляд с Берндта на Еву. Он явно хотел что-то спросить, когда Анна неожиданно крикнула:

— Не смей! Не смей ничего спрашивать! Она ребенок, это может сказаться на ее психике. Она ничего не видела и ничего не знает. Тетя Леся спит, и все в порядке.

— Она могла видеть, — задумчиво произнес Герман.

— Она ничего не видела, — вступилась за дочь Анна. — Ты вообще понимаешь, что ты делаешь? Убийца находится среди нас. И он сейчас слышит, что именно ты говоришь. Хочешь, чтобы мою девочку убили как опасного свидетеля?

— На столе девять чашек, — продолжал настаивать Берндт, — и мы не понимаем, кто принес девятую чашку и как она оказалась на столе. А самое главное, почему. Если герр эксперт считает, что она ни при чем, то зачем она здесь стоит?

— После появления герра эксперта в нашем доме произошли два убийства, — напомнила Мадлен, — а вы не можете нам помочь с их расследованием.

— Я не волшебник, — ответил Дронго.

— Но это ваша специальность, — настаивала Мадлен.

— Неужели вы еще не поняли, — вмешалась Эмма. — Сначала они с мужем пытались обвинить Анну в убийстве супруги Арнольда, а теперь намекают на вас. Причем не столько на вас, сколько на меня, ведь именно я привела вас сюда.

— Я этого не говорила, — возразила Мадлен.

— Мама, можно я поднимусь в комнату? — попросила Ева.

— Нет, нельзя! — строго сказала мать. — Потерпи немного, мы скоро поднимемся туда вместе.

Пастушенко поднял голову, прислушиваясь к словам Анны. Его лицо скривилось.

— Потом вы все разойдетесь, — горько произнес он, — а Леся останется здесь, и мы ее уже не вернем.

— Я тебе соболезную, — тихо сказала Анна.

— Она что-то чувствовала, — задумчиво проговорил Пастушенко, — очень не хотела сюда приезжать. Понимала, что ее здесь не ждут и не любят. Ты бы слышала, как твоя младшая сестра на нее нападала. Это было так страшно. И теперь она умерла.

— Получается, что во всем виновата именно я, — изумилась Эмма. — Теперь меня будут обвинять в том, что я ее не любила.

— Можно подумать, что ты ее любила, — вздохнул Арнольд. — Конечно, это я во всем виноват. Не нужно было ее сюда приводить. И вот теперь ваша ненависть ее убила. Ее убила именно ваша ненависть! — с надрывом повторил он.

— Арнольд, — повысила голос Анна, — я понимаю, как тебе тяжело. Но нужно щадить и наши чувства. Леся была довольно агрессивным и напористым человеком. Я понимаю, что сейчас не время и не место так говорить, но обвинять нас в ненависти некорректно. Она сама была далеко не ангелом, но мы относились к ней неплохо. Если ты помнишь, то именно я настояла на том, чтобы вы появились с ней вдвоем в этом доме. А ты сейчас говоришь о какой-то ненависти.

— Ты прекрасно знала, что она не отпустит меня одного, — возразил Пастушенко, — хотя ты все равно права. Сейчас уже никакими словами ее не вернешь.

Послышалось завывание полицейских сирен. К дому подъезжали сразу два автомобиля с сотрудниками полиции.

— Вот и все, — сказал Берндт, — они приехали. Теперь мы сообщим им, что никто из нас девятерых не выходил и не входил в эту комнату после смерти фрау Пастушенко. И пусть они наконец объяснят нам, что у нас происходит.

Глава 12

Внизу начали барабанить в дверь. Калерия Яковлевна испуганно спросила:

— Можно мне пойти и открыть дверь?

— Нет! — жестко ответил Берндт. — Я думаю, вам не нужно выходить из гостиной. Пойдем мы с Германом и будем следить друг за другом, чтобы ни один из нас не мог избавиться от улик, которые могут иметься у нас, если убийца кто-то из нас двоих.

— Ты говоришь так много, что я уже начал тебя подозревать, — признался Герман. — Идем быстрее, иначе они просто выломают дверь.

Вдвоем они вышли из гостиной, прошли к входной двери и открыли ее. Вернулись уже вместе с инспектором Нерлингером и следователем

Менцелем, которые буквально ворвались в комнату и бросились к лежавшей на диване Лесе. Следом за ними вошли еще трое сотрудников полиции. Увидев стольких незнакомых людей, маленькая Ева испуганно замерла и прижалась к матери.

Нерлингер подошел к дивану, поднял пиджак, посмотрел на Лесю. И взглянул на следователя.

— По-моему, те же симптомы. Ее тоже отравили.

— Пусть даст заключение наш эксперт, — предложил Менцель. — Не будем делать поспешные выводы.

Двое прибывших с ними людей шагнули к убитой. Ева заплакала, увидев, как переворачивают труп. Анна прижала дочь к себе, пытаясь успокоить. Менцель с недовольным видом оглянулся.

— Что здесь делает ребенок? — спросил следователь. — Немедленно уведите отсюда девочку.

— Я хотела увести, но мне не позволили, — сообщила Анна.

— Почему? — удивился Менцель.

— Мои родственники посчитали, что никто не должен выходить из этой комнаты до приезда полиции, — пояснила Анна.

Следователь промолчал. Нерлингер отошел от дивана, оглядывая присутствующих.

— Значит, никто не входил и не выходил из комнаты после смерти этой женщины? — уточнил инспектор.

— Никто, — подтвердил Герман.

— Вас было десять человек, — быстро подсчитал Нерлингер, — десять вместе с погибшей?

— Да, — кивнул Герман, — и вместе с девочкой. Сейчас нас осталось девять. И мы не понимаем, что здесь происходит.

— О чем они говорят? — спросил Дронго.

Эмма стала негромко переводить ему суть разговора.

— Вы можете рассказать обстоятельства смерти фрау Пастушенко? — попросил Нерлингер. — Желательно по минутам и как можно более подробно.

— Почти так же, как и в прошлый раз, — угрюмо стал пояснять Герман. — Сначала мы все собрались за столом. Все, кто сейчас здесь сидит. И уселись на своих местах. Только Калерия Яковлевна была на кухне, она готовила для нас кофе и чай. Потом она начала приносить сюда чашки с кофе и чаем. Вкатила вчерашний торт, но мы отказались его есть, и она его унесла. А затем позвонил телефон в коридоре, и я пошел отвечать. Звонила тетя Сюзанна. Некоторые встали, подошли к дверям, чтобы услышать мой разговор. Потом мы снова вернулись.

— Все было не совсем так, — перебил Германа Берндт. — Сначала трубку телефона взяла фрау Калерия, а потом позвала тебя, и ты пошел в коридор. Здесь старая модель телефона с длинным шнуром. И когда ты туда отправился, мы тоже поднялись, чтобы услышать, о чем ты говоришь по телефону.

— Да, все было именно так, — подтвердил Герман. — А потом мы вернулись к столу, и Леся захотела допить свой кофе. Она сделала несколько глотков, у нее стала кружиться голова, она почувствовала себя плохо, а потом упала. Мы догадались, что ее тоже отравили. Присутствующий здесь господин эксперт подтвердил, что она умерла. И тогда мы решили, что никто не выйдет отсюда, пока не приедет полиция.

— Разумное решение, — согласился Нерлингер. — А пиджак одолжил герр эксперт?

— Нет, это пиджак супруга погибшей, — пояснил Герман. — Они специально так накрыли погибшую, чтобы не пугать девочку. Это был совет нашего гостя, герр эксперт.

— Он опытный человек, — задумчиво произнес инспектор. — Кстати, он понимает немецкий?

— Нет, — ответил Герман, — ему переводит сестра моей супруги.

Нерлингер подошел к Дронго.

— Вы говорите по-немецки? — на всякий случай уточнил инспектор.

— Нет. Но я знаю английский, итальянский.

— Я плохо говорю по-английски, — сказал Нерлингер, — поэтому попрошу вас, фрау Вихерт, быть моей переводчицей.

Эмма, соглашаясь, кивнула.

— Господин эксперт, — начал инспектор, — вы единственный человек, который впервые вчера появился в этом доме. Вы ведь раньше никогда здесь не были?

— Да, — кивнул Дронго, выслушав перевод, — это правда. Вчера я появился здесь в первый раз по приглашению Эммы Вихерт.

— А как давно вы знакомы с фрау Вихерт? — уточнил Нерлингер.

— Уже больше десяти лет, — ответила сама Эмма.

— Я бы хотел, чтобы он сам ответил на этот вопрос, — попросил инспектор.

Эмма перевела вопрос и добавила, что уже сказала про десятилетнее знакомство.

— Вы сказали неправду, — возразил Дронго.

— Я сказала абсолютную правду, — парировала Эмма, — и не нужны ваши непонятные благородные жесты. Немцы могут вас просто не понять.

— О чем вы с ним говорите? — уточнил Нерлингер.

— Спорим, сколько мы знакомы, — пояснила Эмма. — Десять или девять лет?

— И ваши родственники тоже знали его так долго? — не унимался инспектор.

— Нет. Никто не знал.

— Ясно. — Инспектор посмотрел на Менцеля. Очевидно, работая вместе продолжительное время, они понимали друг друга без слов. И следователь в знак согласия склонил голову.

— Скажите герру эксперту, что ему нужно будет проехать с нами в полицию, — пояснил Нерлингер.

— Зачем? — разозлилась Эмма.

— У нас есть свои соображения, — пояснил инспектор.

— Тогда и я поеду с вами, — решила Эмма.

— В этом нет необходимости, — возразил Нерлингер, — у нас найдется свой переводчик.

— Вы не имеете права его арестовывать, — начала доказывать Эмма. — Он известный сыщик, международный эксперт. Войдите в Интернет и посмотрите, что про него пишут.

— Обязательно почитаем, — кивнул Нерлингер, отходя от молодой женщины.

— Кажется, я действительно втянула вас в ужасную историю, — сказала Эмма. — Даже не знаю, что делать.

— Для начала переведите мне ваш диалог, — попросил Дронго.

Она перевела их разговор с инспектором.

— Он абсолютно прав. Единственный человек, который вызывает обоснованные подозрения среди всех собравшихся, — это ваш покорный слуга.

— Зачем вы так говорите? — поморщилась Эмма. — Он просто не знает, какой вы известный человек.

— Если бы знал, то забрал бы меня еще вчера, — пошутил Дронго. — В любом случае не нужно беспокоиться. Меня нельзя арестовать. Я все-таки международный эксперт и обладаю дипломатическим иммунитетом эксперта ООН. А с другой стороны, кого им подозревать? Остались только девять человек. Тетя Сюзанна еще не вернулась, а несчастная Леся умерла. Остаются ее муж, семья вашей сестры, включая ее маленькую дочку, семья Мадлен, которая, по-моему, еще не оправилась от страшной трагедии вчера и потери матери. Вы и Калерия Яковлевна. Кого должны подозревать приехавшие полицейские? Конечно, меня. Я — единственный реальный кандидат в убийцы.

— Не нужно так говорить, — попросила Эмма. — Я ведь знаю, что еще три дня назад вы ничего не слышали ни о свекрови моей сестры, ни о жене Арнольда Пастушенко. Поэтому не старайтесь, я все равно не поверю, что вы могли быть убийцей.

Ева, напуганная таким количеством посторонних людей и сутолокой, неожиданно громко заплакала. Женщины помрачнели, мужчины нахмурились.

— Уведите девочку, — разрешил следователь, — и оставайтесь с ней наверху. Если вы не возражаете, с вами пойдет один наш офицер, который на всякий случай будет дежурить у ваших дверей.

— Хорошо, — согласилась Анна. Она взяла дочку за руку и вместе с ней вышла из гостиной. Один из офицеров, стоявших у дверей, последовал за ними.

— У нас появилась еще одна проблема, — напомнил Берндт.

— Какая? — спросил Менцель.

— Чашки на столе, — показал Берндт. — Мы выяснили, что фрау Калерия приносила нам только восемь чашек. Шесть с кофе и две с чаем для ребенка и герра эксперта. И никто не понимает, как на столе оказалось девять чашек.

— Девять? — переспросил следователь. — А может, она кому-то принесла две чашки?

— Нет. Она принесла только восемь. Как раз по количеству людей, сидевших в гостиной. Она не могла принести лишнюю чашку.

Менцель посмотрел на Калерию Яковлевну.

— Да, — кивнула она, — было только восемь чашек.

— А где остальные три? — спросил Менцель.

— Одна должна быть в комнате фрейлейн Сюзанны, — пояснила Калерия Яковлевна, — а еще две на кухне. Но я приносила только восемь чашек.

Следователь и инспектор переглянулись. Очевидно, обоим было весело. Они взглянули друг на друга. Дронго понял, что они не придают серьезного значения девятой чашке, появившейся неизвестно каким образом в гостиной.

— Заберем все чашки и сделаем дактилоскопическую экспертизу, — решил следователь, — хотя чашку погибшей мы все равно будем проверять отдельно. Если окажется, что на ней есть отпечатки пальцев кого-то из присутствующих, то вам не удастся и в этот раз доказать нам, что другой человек случайно трогал чашку погибшей и поэтому там оказались чужие отпечатки.

— Заберите все чашки, — согласился Герман, — так будет правильно. Только не нужно больше держать нас всех в этом доме. Вы же должны понимать, что убийца находится в доме. И это кто-то из своих. Представляете, как здесь страшно оставаться женщинам. А у нас маленький ребенок. Девочке только шесть лет. Поэтому будет правильно, если вы разрешите всем отсюда уехать.

— Нет, — возразил следователь, — сегодня мы закончим освидетельствование вашей тетушки и проведем экспертизу всех чашек. А заодно уточним, от чего могла умереть фрау Пастушенко. И только потом примем решение. Но на этот раз мы не оставим вас одних. В самом доме будут дежурить двое наших сотрудников, чтобы ничего не произошло. Всю воду и еду вам будут привозить наши офицеры. Вам нужно подождать только несколько часов, пока мы закончим проверку. Если окажется, что фрау Пастушенко умерла от такого же яда, как и ваша мать, то это будет лучшее доказательство того, что их отравил один и тот же убийца. Герра эксперта мы сейчас заберем с собой. Вместе с нами поедет и муж погибшей для оформления документов. Вы останетесь вшестером — ваша семья, семья вашей сестры и фрау Эмма вместе с кухаркой. Только шесть человек. И еще здесь будут наши офицеры. Полагаю, что ничего страшного уже случиться не сможет.

— Вы подозреваете моего друга, — не выдержала Эмма, — но это очень глупо.

— Здесь произошли два убийства подряд, несмотря на присутствие в вашем доме такого известного эксперта, — напомнил Менцель. — Не странно ли это?

— Вместо того чтобы искать настоящего убийцу, вы хватаете первого попавшегося человека, который реально может помочь вам в раскрытии этих преступлений! — зло крикнула Эмма.

— Мы никого не «хватаем», — возразил следователь, — мы приглашаем господина эксперта для того, чтобы проконсультироваться с ним по вопросам, которые у нас появились после двух преступлений, совершенных буквально у него на глазах. Если вашей племяннице простительно было пугаться и ничего не помнить, то согласитесь, что известный эксперт в области раскрытия преступлений просто обязан быть более внимательным человеком и обратить внимание на убийцу, который дважды у него на глазах целенаправленно и безнаказанно убивал людей. Вам не кажется подобное поведение вашего эксперта не совсем правильным?

Эмма нахмурилась. Она не стала спорить.

— Заберите чашки! — приказал следователь. — Более тщательно проверьте чашку, из которой пила покойная.

— Она погибла в результате отравления идентичным предыдущему ядом, — сообщил один из приехавших экспертов, которые осматривали тело погибшей. — Более точную информацию мы сможем дать после вскрытия тела и патологоанатомического исследования.

— Забирайте погибшую, — разрешил следователь, — прямо сейчас. Позовите остальных, пусть помогут.

Снова началась обычная в подобных случаях суета. Тело погибшей вынесли из дома. Нерлингер взглянул на Дронго.

— А вы поедете с нами, — напомнил он.

Эмма перевела его слова.

— Хорошо, — кивнул Дронго.

— Я немного говорю по-английски, — вмешался Менцель, — и хочу вам сказать, господин эксперт, что нам очень неприятна эта ситуация, при которой вы дважды были свидетелем происшедших в этом доме у вас на глазах убийств.

— Меня пригласили в этот дом на юбилей хозяйки, — напомнил Дронго. — Я не думал, что в мои обязанности входило наблюдение за гостями и обеспечение безопасности хозяев дома.

— Но согласитесь, что это очень странно, когда такой человек, как вы, ничего не замечает и ничего не знает, — парировал следователь.

— У каждой семьи есть свои «скелеты в шкафу», — ответил Дронго. — А я случайно оказался здесь и невольно был посвящен в некоторые семейные тайны, о которых эти люди не хотели говорить.

— Какие тайны? — не понял Менцель.

— Семейные, — пояснил Дронго. — Но это не значит, что я мог увидеть конкретного убийцу. Хотя признаюсь, что оба преступления вызывают у меня очень сильное недоумение. Я не могу их связать друг с другом никаким логическим объяснением. А такая загадка означает, что мы не знаем какой-то важной составляющей этих двух таинственных убийств.

— Ничего таинственного в них нет, — возразил следователь, — такие преступления в семьях случаются довольно часто. Кто-то решил отравить хозяйку дома и ее гостью. Что здесь таинственного?

— Мотивы, — пояснил Дронго. — Мы не понимаем мотивов обоих преступлений и поэтому не можем вычислить убийцу. Как только догадаемся о мотивах, так сразу и вычислим убийцу.

— В таком случае помогите нам понять эти мотивы, — предложил Менцель. — Поедем с нами, герр эксперт, и более подробно побеседуем в нашем управлении.

Они не успели договорить, когда в гостиную вошла Анна. Вид у нее был растерянный.

— Я хочу вам сказать, что у нас в комнате, на столике, стояла чашка с молоком, которая пропала, — заявила она. — Моя дочь обратила на это обстоятельство внимание. Я спустилась вниз, чтобы сообщить вам об этом.

— Ничего не понимаю, — нахмурился Менцель. — Здесь одна чашка прибавилась, а там пропала. Может, это одна и та же чашка?

— Я не знаю, — призналась Анна.

— Мы все проверим, — устало сказал следователь, — и заодно посмотрим на кухне. Возможно, там тоже не осталось чашек, или они оттуда бесследно исчезли. Нерлингер, прикажите проверить наличие остальных чашек. — Он сказал это, не скрывая улыбки, и было понятно, что он относится к этим перемещениям чашек не очень серьезно.

Нерлингер повернулся и сам пошел на кухню. За ним засеменила Калерия Яковлевна.

Глава 13

Полицейское управление Потсдама находилось в нескольких минутах езды от дома, где произошло двойное убийство. Дронго привезли в управление и, извинившись, оставили в какой-то комнате, напоминавшей камеру, в которой была большая зеркальная стена. Коварство местных стражей порядка его позабавило — было понятно, что за ним внимательно наблюдают. Так прошло около полутора часов, наконец в комнате появился офицер, пригласивший его для беседы в другое помещение. Там его уже ждали следователь Менцель и инспектор Нерлингер. Рядом сидел молодой мужчина лет тридцати, очевидно, переводчик, который сообщил, что будет помогать следователю разговаривать с гостем.

— Начнем с того, что мы навели справки о вашей персоне, — сказал Менцель. — Вы действительно известный эксперт, и о вас довольно много информации в Интернете. Видимо, именно поэтому к вам обратился кто-то из членов семьи, чтобы вы смогли лично присутствовать при событиях, которые произойдут в этом доме, либо самому спланировать и так блистательно осуществить оба убийства.

— Я эксперт, а не убийца, — устало заметил Дронго, — или вы не хотите замечать разницу?

— Я вижу разницу, — сказал Менцель. — Но я не могу не обратить внимания на то, что вы появлялись в этом доме два раза, и оба раза в присутствии такого опытного человека было совершено убийство. Причем буквально на глазах у всех. Более того, когда мы обнаружили на бокале погибшей отпечатки пальцев ее младшей сестры, вы сразу опровергли нашу версию, рассказав о своем наблюдении о том, что фрейлейн Сюзанна случайно дотронулась до бокала. И вы знаете, что интересно? Такой момент вы сразу запомнили, а вот кто именно бросил яд сначала в бокал фрау Крегер, а потом в чашку с кофе фрау Пастушенко, вы не заметили. Вам не кажется, что это может вызвать у нас подозрения относительно вас?

— Кажется, — весело согласился Дронго, — но я не убивал ни в первом случае, ни во втором. А если бы убивал, то уж наверняка сделал бы так, чтобы не попасть в число подозреваемых. Или в этом вы тоже сомневаетесь?

— Пусть скажет, кто его нанял? — попросил инспектор Нерлингер.

— Не нужно задавать глупые вопросы, — поморщился Дронго. — Меня никто не нанимал. Просто фрау Вихерт, узнавшая меня спустя много лет, решила пригласить на семейный ужин, даже не подозревая, что именно там может произойти. Хотя мне кажется, что интуитивно она предполагала возможность подобного развития ситуации. Но не настолько страшного, чтобы на глазах ее маленькой племянницы убийца дважды отравил двух женщин. Я уже сказал, что пытаюсь определить, кто и зачем мог убить этих женщин, и пока не нахожу конкретной связи между ними.

— И не найдете, — строго сказал Нерлингер. — Зато у нас есть обоснованные подозрения, что именно вы спланировали и осуществили эти убийства. И поэтому герр Менцель уже принял решение о вашем задержании. Дело будет передано для рассмотрения в окружной суд. Мы попросим дать санкцию на ваш арест для начала сроком на трое суток, чтобы вы не могли скрыться. А уже затем мы постараемся найти и предъявить вам имеющиеся улики. Хочу сообщить вам, что мы уже послали людей в отель «Бристоль Кемпински», где вы остановились, для тщательного обыска вашего номера. И если там будут найдены остатки яда, которыми были отравлены обе женщины, то у нас появятся серьезные доказательства вашей вины.

Переводчик все исправно перевел. Менцель что-то добавил, и Нерлингер в знак согласия кивнул.

— Мы установили, что фрау Вихерт сегодня ночью не была у своей подруги. Возможно, она оставалась вместе с вами в вашем отеле. Мы все проверим, и если окажется, что она была этой ночью с вами в отеле, то ей будут предъявлены соответствующие обвинения в пособничестве.

— Действительно, она ночевала в том же отеле, где остановился я, — сообщил Дронго, — только не в моем номере, а в другом, который находится на следующем этаже.

— Вы смеетесь? — спросил следователь, когда ему перевели ответ Дронго. — Вы хотите сказать, что сняли ей отдельный номер и эту ночь провели не с ней? И мы должны поверить в такую очевидную ложь?

— Гнусное свойство карликовых умов приписывать свое духовное убожество другим, — недовольно заметил Дронго. — Скажите моим собеседникам, герр переводчик, что это цитата из Бальзака. И мы с фрау Эммой Вихерт действительно сегодня ночевали в разных номерах, хотя им трудно в это поверить.

— Тогда почему она не поехала ночевать к своей подруге? — уточнил Нерлингер.

— Ехать в Восточный Берлин довольно далеко, а мы должны были утром вместе вернуться в этот дом, — пояснил Дронго, — и поэтому я предложил ей остаться в отеле, где я жил.

— Вы сами верите в эту невероятную ложь? — поинтересовался следователь.

— Это правда, — отмахнулся Дронго. — Если вы не хотите мне верить, то зачем вообще этот бесполезный разговор? Давайте его закончим, и я отсюда уеду.

— Вы не поняли, герр эксперт, — сказал переводчик. — Мы собираемся задержать вас на трое суток, оформив необходимое решение суда. И еще мы проверим вашу одежду на предмет выявления остатков яда.

— Это ваш следователь ничего не понял, — усмехнулся Дронго. — Ему сообщили, что я международный эксперт, а он не принял эту информацию к сведению. У меня дипломатический паспорт эксперта ООН, и герр Менцель при всем желании не сможет меня арестовать. Даже если ему будет изо всех сил помогать герр Нерлингер. Вот мой паспорт. Чтобы суд вынес решение о моем задержании, вам нужно получить согласие Генерального секретаря ООН или Генеральной ассамблеи ООН, которая состоится не раньше чем через семь месяцев. Ваши офицеры просто переписали данные моего паспорта, не сообщив вам о его статусе.

Пока переводчик переводил его слова, лица обоих собеседников вытягивались, словно на картинке, по которой проводят горячим утюгом.

— Мы все проверим еще раз, — хрипло предупредил Менцель.

— Не сомневаюсь. И будет здорово, если на этот раз вы проверите все гораздо тщательнее, чем в предыдущий.

— Мы пошлем запрос в Нью-Йорк, — добавил Нерлингер.

— Это тоже ваше право, — согласился Дронго, — но для начала позвоните в Берлин комиссару Реннеру.

— Вы знаете комиссара Реннера? — удивился инспектор.

— Причем неплохо. Если бы вы не были таким провинциалом, то наверняка бы узнали о том, что случилось в Берлине примерно два с половиной года назад, когда был разоблачен один из ваших коллег. Можете позвонить Реннеру, он подтвердит.

— Обязательно позвоню, — мрачно сказал Нерлингер. — А теперь сообщите нам, кого именно вы сами подозреваете. Если вы такой известный эксперт, то у вас должно быть свое мнение о случившемся. Там осталось всего несколько человек. Если не считать маленькую девочку, которая просто не могла быть убийцей собственной бабушки и жены их семейного друга, то остается семья дочери погибшей хозяйки — дочь и зять. Семья сына погибшей хозяйки — сын и невестка с маленькой девочкой. И наконец, ваша знакомая Эмма Вихерт. Только пять человек, не считая ребенка. Если скажете, что это много, то я соглашусь. Но один из этих пятерых может быть убийцей.

— У вас стандартное мышление, герр инспектор, которое может вас подвести, — возразил Дронго. — Почему убийцей не может быть другой человек, например Арнольд Пастушенко? Это как раз более логично, ведь его погибшая жена сидела рядом с ним, и ему проще остальных было бросить яд в чашку с кофе супруги. Но раз он оттуда уехал, вы автоматически исключаете его из числа подозреваемых. Хотя как человек, проработавший много лет в полиции, вы должны помнить, что в таких семейных разборках убивают обычно очень близкие люди в силу каких-то конкретных причин.

— Тогда зачем ему убивать фрау Марту Крегер? — вмешался Менцель.

— Именно поэтому мы до сих пор не знаем ответа на этот вопрос, — кивнул Дронго. — Слишком непонятные мотивы обоих преступлений.

— И вы еще считаетесь одним из лучших экспертов, — вздохнул Менцель.

Дверь открылась, и кто-то позвал Нерлингера. Он извинился, поднялся и вышел.

— Даже если мы не сможем вас арестовать, — сказал Менцель, — никто не мешает нам «попросить» вас остаться в Берлине до завершения расследования.

— С удовольствием, — кивнул Дронго. — Тем более что и в мои планы не входит покидать эти места до завершения расследования и разоблачения хитроумного убийцы, так замечательно спланировавшего преступления.

— Надеюсь, что вы действительно не уедете, — пробормотал Менцель. В этот момент в комнату букально вбежал Нерлингер.

— В одной из чашек найдены остатки яда, — сообщил инспектор.

— Это была чашка погибшей? — уточнил следователь.

— Не совсем. В чашке, которую использовала погибшая, остатки яда найдены непосредственно в кофе. А вот в другой чашке практически ничего не было, кроме остатков яда.

— Чья это была чашка? — быстро спросил Дронго.

— Пока не знаем.

— Чьи отпечатки?

— Сейчас пытаемся идентифицировать, — пояснил инспектор. — Эти папиллярные узоры совпадают с отпечатками пальцев одного из подозреваемых, и они есть в нашем архиве. То есть убийца, который оставил частички яда в другой чашке, очевидно, отравил и чашку погибшей.

— Вы уже знаете, чьи это были отпечатки пальцев? — прервал его многословие Дронго.

— Пока нет. Но мы все это легко проверим, — заявил Нерлингер. — Кроме того, я позвонил комиссару Реннеру. Узнав, что вы находитесь здесь, он решил лично сюда приехать. Если он вас узнает, то неплохо. А если нет, тогда мы потребуем решения суда и арестуем вас до завершения расследования, даже с учетом вашего дипломатического статуса. Убежден, что Генеральный секретарь ООН отменит вашу дипломатическую неприкосновенность, понимая, как важно получить достоверные сведения от такого компетентного человека, как вы.

— Вы закончили проверку психического состояния фрейлейн Сюзанны? — спросил Дронго.

— Пока нет, но к вечеру закончим, — сообщил Нерлингер.

— А где сейчас Пастушенко?

— Вместе с нашими экспертами подписывает документы как близкий родственник погибшей. Сейчас проводится вскрытие второго трупа, и через несколько минут мы будем иметь более определенный результат. Итак, вы никого не подозреваете?

— Вы знаете, что родственница семьи Крегер оставила им большое наследство? — вместо ответа задал вопрос Дронго.

Нужно было видеть, с какими лицами все переглянулись.

— О какой сумме идет речь? — поинтересовался Менцель.

— Тоже мне Пинкертоны! — пробормотал Дронго. — Этого переводить не нужно. Лучше скажите, что, по моим сведениям, речь идет о большой сумме в восемь или девять миллионов евро.

— Вы не ошиблись? — спросил инспектор, услышав эти слова.

SEMEINYE TAINY

— Полагаю, что нет. И этой суммой должна была управлять Марта, которая являлась опекуном своей младшей сестры.

— А Марту отравили первой, — невесело произнес Менцель.

— Предположим, что ее отравили из-за этих денег, — продолжал Дронго, — но тогда это могли сделать только два прямых наследника погибшей, Марты — ее дети. Герман Крегер и Мадлен Ширмер.

— Насчет сына не знаю, но дочь убивалась по матери всю ночь, — напомнил следователь. — Так сыграть просто невозможно. Она проплакала, нет, даже не проплакала, а провыла всю ночь. Мне трудно поверить, что именно она решила отравить свою мать.

— Мне тоже, — добавил Нерлингер. — Тогда остается только один подозреваемый — сын погибшей. Но предположим, что наши и ваше мнения совпадут. Предположим, что Марту убили именно в силу того, что она является опекуном. Но тогда зачем убивать супругу Пастушенко, которая к деньгам не имеет абсолютно никакого отношения, конечно, если сам Пастушенко не был опекуном этой женщины?

— Не был, — подтвердил Дронго.

— Тогда попытайтесь доходчиво объяснить,

215

кому и зачем понадобилось убийство супруги герра Пастушенко? — спросил следователь.

— Пока не знаю. Но к деньгам Сюзанны Крегер они абсолютно точно не имели никакого отношения. Вернее, не имела отношения погибшая. А вот сам Арнольд Пастушенко, возможно, имел.

— Что вы хотите сказать? — осведомился Менцель.

— Отцом девочки является не Герман Крегер, а господин Пастушенко, — пояснил Дронго. — Таким образом, наследницей состояния девочка не сможет стать, если кто-то будет возражать против ее права на наследство. Могут провести генетическую экспертизу, и отцовство Арнольда Пастушенко будет доказано. Таким образом, есть некоторая связь между первой и второй погибшей.

— Очень иллюзорная связь, которая нам ничего не дает, — возразил Менцель. И мы еще должны будем проверить и подтвердить ваши слова.

Он не договорил, когда дверь вдруг открылась, и в комнату вошел комиссар Якоб Реннер. Сразу стало темнее и теснее. Казалось, что мощная коренастая фигура комиссара заполнила все оставшееся свободное пространство комнаты.

Он посмотрел на поднявшихся мужчин, на улыбнувшегося Дронго.

— Нашли кого задерживать! — рявкнул комиссар. — Это один из самых лучших аналитиков в мире. Вы должны носить его на руках, слушать и ежеминутно учиться, а вы держите его в этом обезьяннике и смеете отнимать его драгоценное время. Здравствуйте, господин Дронго. — Реннер шагнул к задержанному и крепко обнял его. С Дронго он говорил на английском с очень сильным немецким акцентом.

Следователь, инспектор и переводчик молчали. Реннер обернулся к ним и погрозил пальцем. Затем махнул рукой и тяжело уселся на стул, который ему поставил инспектор. Нерлингер быстро вышел в коридор, чтобы взять для себя еще один стул. Реннер взглянул на следователя и переводчика.

— Думаете, арестовав Дронго, можно установить истину? — презрительно спросил он. — Было бы лучше, если бы вы его выслушали и поступили так, как он вам советует. В этом случае вы бы сразу нашли преступника. Мне сообщили, что у вас произошло двойное убийство?

— Да, — кивнул Менцель, — сразу два одинаковых отравления в закрытом доме. И мы пока не можем ничего понять.

Нерлингер вошел в комнату, и за ним внесли еще один стул. Он осторожно уселся позади комиссара.

— Мы пытаемся понять, что именно там произошло, — добавил Дронго, — но оба убийства кажутся нелогичными с практической точки зрения.

— Не совсем, — неожиданно вставил Нерлингер. — Теперь мне многое становится понятным. Наши эксперты только что сообщили мне: на чашке, в которой были найдены остатки токсичного вещества, есть отпечатки пальцев супруги Германа Крегера — Анны Крегер. Теперь оба убийства кажутся абсолютно логичными и точными.

— Что вы хотите сказать? — поинтересовался Дронго.

Комиссар повернулся, чтобы увидеть Нерлингера.

— Сначала убийство Марты Крегер, — напомнил инспектор. — Это была свекровь Анны, с которой у них, очевидно, сложились не очень хорошие отношения. Убийство Марты автоматически делало мужа Анны главным претендентом на деньги «ограниченно дееспособной» сестры его матери и наследником этого дома. Всегда можно было договориться с сестрой своего мужа, а если даже не договориться, то просто добиться назначения опекуном фрейлейн Сюзанны. — Нерлингер торжествующе улыбался. Ему было приятно, что он может отличиться в присутствии комиссара и утереть нос этому иностранному эксперту с такой известной биографией.

— Предположим, что вы правы, — кивнул Дронго. — А как тогда объяснить убийство фрау Пастушенко?

— Обычная женская ревность и зависть, — пояснил Нерлингер, — особенно учитывая тот факт, что отцом ее ребенка является герр Пастушенко. Скажите, господин эксперт, только откровенно. Как вы считаете, погибшая могла знать о том, что девочка семьи Крегер является дочерью ее мужа?

— Да, — кивнул Дронго, — думаю, что знала. Она несколько раз откровенно намекала на это.

— Можно считать дело закрытым, — счастливо улыбнулся Нерлингер. — Сначала она убрала свою свекровь, чтобы обеспечить мужу доступ к деньгам. А потом убрала и свою соперницу, супругу отца своего ребенка, чтобы никто не узнал о том, что ее дочь на самом деле не может считаться наследницей семьи Крегер. Вот вам конкретная связь между двумя убийствами и вполне обоснованные мотивы. А еще хочу отметить, что в обоих случаях Анна Крегер, пользуясь тем, что рядом с ней была несовершеннолетняя девочка, быстро уходила из гостиной, очевидно, избавляясь от улик. Когда она принесла чашку, то, возможно, успела ее подменить, просто перелив кофе в другую чашку. Или пересыпав яд в чашку фрау Пастушенко. Ей было важно устранить опасную соперницу, которая могла раскрыть правду о ее отношениях с мужем погибшей. Когда Анна Крегер поняла, что оставила лишнюю чашку на столе, она быстро спустилась вниз и сообщила о пропаже чашки. Самое важное, что она поняла: мы найдем ее отпечатки пальцев, и она ничего не сможет сказать в свое оправдание, ведь она не могла сидеть в перчатках за столом, когда вместе с вами пила кофе.

— Думаю, что вы правы, инспектор, — кивнул Менцель, — и мы можем считать, что это сложное и очень запутанное дело наконец раскрыто. И мы благодарим герра эксперта за помощь в раскрытии двойного убийства.

— Я же говорил, что он сможет вам помочь, — удовлетворенно проговорил комиссар.

— Мы сегодня получим разрешение на задержание фрау Анны Крегер, — сказал Менцель. — Я думаю, если мы с ней серьезно поговорим, то она даст признательные показания. Ей лучше честно рассказать о своих преступлениях и гарантированно получить десять или двенадцать лет тюрьмы, чем отказаться от показаний и получить двадцать лет, в течение которых она не сможет воспитывать свою единственную дочку. Раскрытие этого преступления целиком заслуга инспектора Нерлингера.

Нерлингер счастливо улыбнулся.

— Это вы решили проверить все отпечатки пальцев хозяев и гостей, — напомнил он, — значит, большая часть успеха принадлежит вам, герр следователь.

— Обмен любезностями, — насмешливо произнес комиссар.

— Только одно уточнение, — неожиданно вставил Дронго. — У вас все прекрасно получилось теоретически. За исключением одного важного момента.

— Что еще? — нахмурился Нерлингер. — Какой «важный момент»?

— Сын погибшей и муж подозреваемой Анны Крегер знал, от кого она родила своего ребенка, и поэтому его жене совсем не обязательно было убивать Лесю Пастушенко, чтобы скрыть от мужа имя истинного отца ребенка. Получается, что ваша прекрасная версия не выдерживает никакой критики.

Нерлингер ошеломленно выслушал эксперта и покачал головой.

— Никогда в жизни не встречал таких людей, как вы, — печально произнес он. — Вы готовы разрушить любую придуманную нами версию. Если Герман Крегер действительно обо всем знал, то наше расследование снова зашло в тупик, и я не совсем понимаю, как его вывести оттуда.

Глава 14

В комнате, где находились пятеро мужчин, установилась напряженная тишина. Комиссар Реннер покачал головой.

— Профессионалы, — мрачно сказал он, — сколько человек было в этом доме? Несколько человек? Проверьте всех на детекторах, и мы выясним, кто из них врет, если не можете ничего доказать.

— Мы пс имеем права, — напомнил следователь. — Они даже не со глашались на снятие отпечатков пальцев, хотя на бокале погибшей были чьи-то следы рук. С трудом удалось их уговорить. Семья Крегер имеет очень влиятельных родственников. А Берндт Ширмер работает в «Дойче Банке». Без его собственного разрешения мы не сможем его допросить с применением детектора. Вы же знаете, герр комиссар, что Конституционный суд Германии постановил не разрешать практику применения подобных проверок без согласия подозреваемых.

— Так и будете сидеть, не зная, как быть? — поинтересовался комиссар. — Тогда для начала отпустите эксперта, который сможет провести собственное расследование без ваших технических новинок. Так сколько там подозреваемых было за столом в доме?

— Осталось восемь человек, включая шестилетнюю девочку, — мрачно ответил Нерлингер.

— Дронго в их числе? — уточнил комиссар.

— Нет, — ответил инспектор. — Еще одна находится на обследовании в нашей клинике. У нее диагноз «ограниченная дееспособность». И мы как раз пригласили наших ведущих психиатров, чтобы уточнить диагноз.

— Для чего? — не понял Реннер.

— Ее отпечатки были найдены на бокале ее старшей сестры, которую отравили, — пояснил Нерлингер.

Комиссар повернулся всем телом к Дронго.

— Что вы об этом думаете? Как я понял, вы были непосредственным свидетелем обоих преступлений?

— Да, был.

— И у вас нет собственной версии случившегося?

— Если меня будут держать здесь, то она вряд ли появится, — меланхолично заметил Дронго, — хотя я пытаюсь что-то придумать. Но мне нужно побеседовать с каждым из членов семьи, чтобы сделать вывод.

— Конечно, — согласился Реннер. Он снова повернулся к Нерлингеру и Менцелю: — Какие у вас есть основания для задержания герра эксперта?

— Он единственный профессионал такого рода среди всех, кто там был, — пробормотал Менцель.

— И это ваше единственное доказательство? — не скрывая своего презрения, спросил комиссар. — Вам не кажется, что это непрофессионально именно с вашей стороны? Не говоря уже о том, что он международный эксперт, обладающий дипломатическим статусом. И при всем желании вы не можете его арестовать, как мелкого воришку. Только выслать из страны, даже если он у вас на глазах отравил кого-то из той компании. Но он этого не делал. Я могу поручиться за него.

— Не нужно, герр комиссар, — сказал Менцель, — мы все поняли. Герр эксперт будет немедленно освобожден. Но мы попросим его не появляться больше в этом доме.

— Наоборот, — возразил комиссар, — он должен появиться там и найти убийцу, который уже два дня водит вас за нос. Вы все поняли?

Менцель посмотрел на Нерлингера. По процессуальному законодательству Германии следователь был самостоятельной фигурой и мог не выполнять требование комиссара. Но ему не хотелось идти на такой явный конфликт. К тому же можно было легко переложить ответственность за проваленное расследование на этого эксперта и самого комиссара. Поэтому Менцель, соглашаясь, кивнул. Нерлингер промолчал.

— Вот и хорошо. — Комиссар поднялся и протянул руку Дронго. — Сегодня я должен быть у бургомистра на приеме, — вспомнил он, — но завтра вечером мы можем с вами встретиться и вместе посидеть. Я не сомневаюсь, что уже к завтрашнему вечеру у вас будут первые результаты расследования.

— Это было бы слишком самонадеянно, господин комиссар, — улыбнулся Дронго.

Реннер кивнул остальным и вышел из комнаты. Нерлингер поспешил за ним — проводить комиссара. Менцель посмотрел на переводчика, а затем обратился к Дронго на английском языке:

— Может быть, комиссар прав, и мы поторопились. А может, правы мы, и вы действительно приехали сюда, немного изменив своему прежнему профилю. Я пока этого не знаю. Но два убийства подряд имеются, и поэтому я отпускаю вас только условно. Если, не дай бог, в доме произойдет еще какое-нибудь событие, например, разобьется чашка или кто-то порежет руку, я буду считать свои обязательства перед комиссаром Реннером утратившими силу и больше не пущу вас туда. А возможно, и поставлю вопрос о вашей депортации из Германии. Если даже я не могу вас арестовать, то выгнать вас из моей страны я вполне способен.

— Вы очень любезны, господин следователь, — кивнул Дронго, — только вы напрасно меня пугаете. Я сам не привык отступать, и два убийства, совершенные буквально у меня на глазах, — это очень сильный удар по моему авторитету. И моей квалификации международного эксперта. И поверьте мне, что я сделаю все, чтобы изобличить преступника и понять, кто именно совершил эти два убийства.

Менцель молча кивнул и вышел из комнаты. Почти сразу появился Нерлингер, который позвал переводчика и объявил, что они скоро поедут обратно в дом. Психиатры уже начали работать, они проводили беседы с Сюзанной Крегер.

— Когда они закончат? — поинтересовался Дронго.

— Не знаю, — удивился Нерлингер, выслушав переводчика. — А почему это его интересует?

— Если я хочу восстановить полную картину происшедших за два дня событий, то мне нужно обязательно поговорить с ней, — пояснил Дронго.

— Что она может ему сказать? — недовольно спросил инспектор у переводчика.

Тот перевел его вопрос.

— Вы же видели, в каком она состоянии, — продолжал Нерлингер. — Она не вполне понимает, что вообще происходит вокруг нее. Поэтому от нее мы все равно ничего не добьемся. Будет лучше, если герр эксперт вернется в дом и попытается найти там возможного убийцу. Все равно психиатры сегодня не успеют закончить.

Дронго молча кивнул. На обратном пути он сидел рядом с Нерлингером, не задавая ему никаких вопросов. Когда они позвонили в дверь, им открыл оставшийся в доме офицер полиции. Он сообщил, что начался обыск на кухне и в других помещениях, имевший целью найти яд, однако пока не было никаких результатов.

Из доклада офицера стало понятно, что Герман, Анна и маленькая Ева находятся в своей комнате, в другой расположились Берндт и Мадлен. Калерия Яковлевна была на кухне, а в гостиной одиноко сидела Эмма, которая включила телевизор и слушала последние новости. Увидев вошедшего Дронго, она обрадовалась, вскочила и, бросившись к нему, обняла эксперта.

— Я так беспокоилась, что вас арестовали из-за меня, — призналась молодая женщина.

Нерлингер прошел на кухню, оставив их одних.

— Ничего страшного не могло случиться, — успокоил Эмму Дронго. — Во-первых, у меня дипломатический статус, а во-вторых, приехал мой знакомый — комиссар полиции Якоб Реннер, который поручился за меня. И даже предложил верпуть меня сюда, чтобы я помог в расследовании. Вот потому я оказался здесь.

— Я очень рада, — призналась Эмма. — Вы знаете, я очень много думала о случившемся. Перебирала разные варианты. Конечно, больше всего подозрения падают на Анну и на меня. Мы действительно не очень любили Марту и совсем не могли терпеть эту выскочку Лесю. Понимаете, Марта просто изводила Аню своими придирками. Она все время подчеркивала, что они настоящие немцы, вернувшиеся в страну, как только появилась такая возможность, а мы всего лишь приспособленцы, которые переехали сюда уже в двадцать первом веке из-за болезни нашей мамы. Это было очень неприятно и оскорбительно. Ну а Леся... Вы же сами все видели. Она была не ангелом, у нее был гражданский муж до встречи с Арнольдом. А потом она вдруг стала символом нравственности и при любом случае упрекала Анну за ее ребенка. Конечно, в этом был виноват только сам Арнольд, который разболтал ей об истинном отце Евы. Вот она и не отпускала его одного и все время открыто попрекала нас за эту связь Анны с ее мужем. Хотя это было давно, и Лесе он никогда не изменял. Но я думаю, что ее придирки могли по-настоящему достать Арнольда. Как, впрочем, и вечные упреки Марты. В конце концов, он знал, что Ева — его дочь, и, когда у тебя на глазах все время измываются над матерью твоего ребенка, поневоле превратишься в зверя. Так вот я подумала...

Дронго терпеливо слушал, когда она закончит говорить.

— Я подумала, что он мог решить... — сказала Эмма, запинаясь, — он мог решить, что так дальше жить нельзя. И сначала избавил Анну от мучений со стороны Марты, а потом решил отравить и свою собственную жену. Я просто уверена, что он никогда ее не любил по-настоящему, так как любил мою сестру. И супруга его очень сильно доставала.

Эмма пытливо посмотрела на Дронго.

— Вы согласны с моей версией? — поинтересовалась она. — Вы же видели, как спокойно он снял свой пиджак и накрыл им убитую. Любящие мужья обычно так себя не ведут. Наверно, он все просчитал и решил, что это лучший исход для всех нас.

— Не уверен, что такое объяснение может понравиться следователю, — пробормотал Дронго. — В моей практике еще не было случая, чтобы убивали человека из-за плохого характера, которым он донимал бывшую возлюбленную. Не забывайте, что Марта была не просто женщиной со стороны, а являлась свекровью вашей старшей сестры, матерью ее мужа. И на этом основании вполне могла делать любые замечания своей невестке, пусть даже не всегда корректные и обоснованные. А ведь Арнольд был несколько раз под следствием и понимает, что такое негласные правила и законы. И попадать в немецкую тюрьму из-за того, что свекровь мучает жену своего сына, он бы не захотел. Это было бы глупо. А насчет убийства его жены... Это еще бо́льшая глупость. Понятно, что когда в комнате находятся только несколько человек, то подозрения в первую очередь падают на мужа погибшей. Возможно, в силу каких-то причин он был заинтересован в ее устранении. Но тогда нужно конкретно назвать причины, по которым он хотел избавиться от своей супруги. Она не миллионерша, он не миллиардер, и вряд ли их бракоразводный процесс мог его разорить. Тогда были какие-то другие причины. Она все время фактически шантажировала вашу сестру ребенком Арнольда. Я тоже обратил внимание на странную манеру поведения Леси. Но это еще не повод для убийства. А мы не можем убеждать следователя и инспектора в виновности Арнольда только на основании наших умозаключений. И у нас нет никаких доказательств.

— Никаких доказательств и не может быть, — возразила, чуть покраснев, Эмма. — Мы никого за руку не поймали и поэтому ничего не сможем доказать.

— В таких случаях не обязательно ловить за руку, — возразил Дронго, — важно понять мотивы преступлений. Два убийства внешне никак не связаны друг с другом. И любые объяснения будут неверными, пока мы не найдем мотивов обоих преступлений. А вот тогда уже можно будет легко вычислить преступника.

В гостиной появился Нерлингер. Он был мрачнее тучи.

— Мы проверили все чашки, — сообщил инспектор, обращаясь к Эмме, и попросил ее перевести его слова Дронго. — Девять были на столе. Одна на кухне, одна — в комнате фрейлейн Сюзанны. Значит, чашка, которая оказалась здесь лишней, была взята в комнате вашей сестры.

— Она давала молоко дочери, — напомнила Эмма.

— В той чашке найдены остатки токсичных веществ, — сообщил инспектор, — и ее отпечатки пальцев на чашке. Значит, кто-то забрал эту чашку и использовал ее в других целях.

— Этого не может быть, — убежденно произнесла Эмма, — этого просто не может быть. Неужели вы думаете, что моя сестра тоже сошла с ума и держит яд в чашке из-под молока для дочери?

— Я сказал только то, что знаю, — жестко отреагировал инспектор. — Сейчас мы начнем проводить обыск в комнате, где обычно останавливалась ваша сестра со своей семьей. И надеюсь, что там мы ничего не найдем.

Он отошел от них, и Эмма взглянула на Дронго, словно ожидая поддержки своей позиции. Но Дронго оказался еще более жестоким.

— Она могла сначала дать молоко дочери, а потом использовать эту чашку уже в других целях, — проговорил он.

— Не может быть. Тогда нужно согласиться, что именно моя старшая сестра отравила сначала свою свекровь, а затем и жену своего бывшего воздыхателя.

— Он не только воздыхатель, но еще и отец девочки. А теперь ответьте мне честно и прямо: Герман действительно знал, что это не его дочь? Только честно.

— Моя сестра не стала бы его так нагло обманывать, — ответила Эмма. — Она сразу сказала Герману, что связь с Арнольдом была ее ошибкой. Минутная слабость, за которую она была вынуждена расплатиться. Врачи не разрешили ей делать аборт. И она все рассказала Герману. Он удочерил девочку, дал ей свою фамилию. Конечно, он все знал, иначе не было бы смысла им жить вместе.

— А остальные члены семьи знали?

— Не должны были знать, но, по-моему, знали. Наверно, Герман кому-то из них шепнул правду. Либо матери, которую очень любил, либо своей сестре. А те уже передали друг другу. Я иногда думаю, что, возможно, поэтому Марта ненавидела мою сестру. Возможно, ей не нравилась сама мысль, что ее сын должен растить чужого ребенка, не имея шансов на рождение собственного. Анне врачи раз и навсегда запретили рожать, первые роды у нее были очень тяжелые. Наверное, Марте все это не нравилось. И тут я ее как раз понимаю. Кому понравится то, что твой сын женат на женщине, умудрившейся родить от чужого мужчины. Конечно, нелепо и очень стыдно. Но так все получилось, и Герман проявил благородство, поняв, что Анна не собирается изменять ему в будущем.

— У вас в семье сложные взаимоотношения, — покачал головой Дронго, — просто непонятно, как гроза не разразилась раньше. Здесь все так сильно не любили друг друга.

— Обычная семья, — усмехнулась Эмма, — в других отношения бывают ничуть не лучше. Родственники обычно не любят друг друга, расходятся, разводятся, разругиваются. Делят имущество. Дети уходят от родителей. Родители отказываются от детей. Братья и сестры не общаются годами. Это наша цивилизация в новом веке! — несколько патетически воскликнула Эмма. — Что вы еще хотите? Герман и Анна хотя бы нормально живут друг с другом. А я не смогла даже этого сделать, и мне пришлось пойти на окончательный разрыв с моим благоверным. Что тоже, наверно, не самый лучший вариант в семейной жизни.

— У него есть родители?

— Конечно. И мать, и отец. Только мой муж с ними вообще не общался. Я даже не знаю, что лучше. Общаться так тесно со своей матерью, как Герман, или вообще не общаться, как мой муж. За пять лет своего замужества я видела их не больше трех-четырех раз. Правда, они живут на севере страны, в небольшом городе рядом с Гамбургом, но все равно можно было навещать их гораздо чаще. Однако мой муж считал правильным справляться об их жизни, здоровье один раз в несколько месяцев. Как, впрочем, и они по отношению к нему. Для нас, прибывших из Казахстана, где помнили своих родственников до седьмого колена и троюродных братьев и сестер считали близкими родственниками, все это казалось на первых порах диким и невозможным. А потом мы привыкли. Люди живут так, как им нравится жить. Никого нельзя переделать или заставить измениться по собственному желанию. Здесь совсем другие нравы и другие порядки. Я даже думаю, что отношения Марты с детьми были выстроены таким образом именно потому, что они были не стопроцентными немцами. То есть не родились здесь и не приняли законы отчуждения с детства. Иногда родители и дети не видятся годами. И годами не звонят друг другу. Мы с Аней общаемся каждый день. И если не позвоним друг другу, то сразу начинаем беспокоиться. Но в Европе свои правила и свой менталитет.

— Именно поэтому я не думаю, что Арнольд мог решиться на подобные преступления только для того, чтобы оградить вашу сестру от досаждающей ей свекрови. Это слишком несерьезный довод, чтобы принять его в качестве основного.

— Зато инспектор считает, что можно серьезно говорить о пропавшей чашке из-под молока, в которой Анна якобы могла хранить яд, — напомнила Эмма. — По-моему, это вообще глупость.

— Одна чашка на столе была лишней, — сказал Дронго, — и, насколько я знаю, в одной из них нашли токсичные вещества. Именно в той, на которой были отпечатки пальцев вашей сестры.

— Какая ерунда! — возмущенно фыркнула Эмма. — Зачем это нужно Анне? Герман бы никогда в жизни не простил ей убийства своей матери, и она это прекрасно понимает.

Они услышали шум на лестнице и громкие голоса. Эмма вышла первой из гостиной. За ней поспешил Дронго. Стоявший на лестнице Герман громко возмущался и что-то кричал Нерлингеру.

— Что случилось? — спросила Эмма.

— У нас в комнате нашли пакетик с этим ядом! — крикнул сверху Герман. — И теперь они считают, что во всем была виновата Анна. А я не могу убедить инспектора, что мы понятия не имеем, откуда этот порошок оказался в нашей комнате.

Глава 15

Услышав слова Германа, Эмма замерла, затем медленно повернула голову и посмотрела на Дронго.

— Как они могли найти там яд? — спросила она, словно не веря самой себе. — Это просто невозможно. Анна, я сейчас поднимусь! — крикнула она, обращаясь к старшей сестре, и поспешила подняться по лестнице.

Дронго пошел следом. У дверей комнаты стояли Нерлингер, один из его сотрудников и Герман, который продолжал бушевать, обвиняя полицейских в некомпетентности и предвзятости. Из соседней комнаты вышли Мадлен и Берндт. На Мадлен было синее платье с золотыми блестками. Берндт снял галстук и пиджак, оставшись в одних брюках и белой рубашке.

— Что происходит? — спросил Берндт.

— В комнате брата вашей жены нашли яд, — пояснил Нерлингер.

Берндт нахмурился и оглянулся на супругу. Она покачала головой.

— Что и требовалось доказать, — процедила Мадлен сквозь зубы. — Все прекрасно понимали, что Анна ненавидит мою мать и желает ей смерти. И только у нее были конкретные причины убрать несчастную Лесю, которая имела неосторожность сообщить о том, что знает тайну рождения Евы.

— Не смей так говорить! — вспыхнул Герман. — Мне надоели твои намеки.

— Это не намеки, — возразила Мадлен, — и ты об этом прекрасно знаешь. Хватит делать вид, что ты ничего не знаешь и не понимаешь, Герман. Твоя страусиная политика привела к тому, что мы потеряли нашу маму. А сегодня еще и убили несчастную Лесю Пастушенко. По-моему, пора наконец освободиться от ненужных иллюзий.

— Замолчи! — крикнул Герман. — Это не твое дело! Порошок нам подбросили. Ни я, ни моя жена не виноваты в двух убийствах, которые здесь произошли. И ты это сама прекрасно понимаешь.

— Тогда кто их убил? — вмешался Берндт. — Святой дух? Или привидения, о которых так любила рассуждать тетя Сюзанна. По-моему, хватит. Сотрудники полиции слишком большие материалисты. Они не верят ни в духов, ни в привидения. А кроме нас и приглашенного сестрой твоей жены эксперта, в доме никого больше не было.

— Ты готов обвинить и нашего гостя? — мрачно осведомился Герман.

— Я никого не хочу обвинять. Но порошок с ядом нашли у вас, — напомнил Берндт. — И вообще это не мое дело — искать и изобличать убийцу. Пусть полиция и следователь скажут, кто именно совершил два убийства. Мы уедем отсюда завтра утром и никогда больше не вернемся в этот дом. Я официально откажусь от всяких претензий на этот дом.

— Не нужно так торопиться, — стала успокаивать мужа Мадлен. — Отказаться мы всегда успеем.

В комнате раздавались громкие голоса Анны и Эммы. Слышался даже испуганный голос Евы.

— Они доведут нашего ребенка до истерики! — выругался Герман, возвращаясь в свою комнату.

— Это не твой ребенок! — крикнула ему вслед Мадлен.

Даже Берндт покачал головой, осуждая супругу за этот выкрик. Она разозлилась.

— Ты всегда был чистоплюем! — парировала Мадлен и, повернувшись, пошла обратно в свою комнату.

Внизу у входной двери появился Арнольд Пастушенко. Услышав о том, что убийца практически найден, он быстро поднялся по лестнице и, тяжело дыша, остановился рядом с Дронго и Берндтом.

— Что случилось? — спросил Арнольд. — Что там нашли?

— Нашли яд в комнате Германа и Анны, — пояснил Берндт. — А еще сумели вычислить, каким образом на стол попала лишняя чашка. Это была чашка из комнаты Анны, на которой оказались ее отпечатки пальцев. А внутри были остатки порошка...

— Анна отравила мать Германа, а потом убила мою жену? — недоверчиво повторил Пастушенко. — Ну это полный бред. Такого не может быть никогда. Я знаю Анну уже почти четверть века. Это исключительно порядочный человек...

— Сейчас нельзя ни за кого поручиться, — возразил Берндт, — лучше помолчите. Насколько я понял, инспектор Нерлингер собирается увезти ее прямо сейчас. И правильно сделает.

Мы все устали от этих постоянных недомолвок, подозрений, иносказаний. Мы не знаем, как себя вести и что нам делать. Наконец все эти кошмары прекратятся, и мы сможем разъехаться по своим домам.

— Но я не верю, что это сделала Анна, — упрямо повторил Арнольд. — Позвольте я пройду в комнату и скажу им об этом. Анна никогда бы не решилась убить мою жену. Ей это было просто не нужно.

Он решительно прошел дальше.

— Несчастный человек, — с сожалением сказал Берндт, переходя на английский. На нем он говорил гораздо лучше, чем по-русски. — Он все еще ее любит и считает, что она не могла его предать. А она его предала уже дважды. Сначала вышла замуж за Германа, а потом, забеременев от Арнольда, фактически отняла у него ребенка, назначив его отцом Германа.

Дронго пожал плечами.

— В жизни порой встречаются такие непредсказуемые моменты, — пояснил он. — Я слышал, что вы были в доме за день до юбилея вашей тещи?

— Конечно, были. Мы приезжали сюда, чтобы помочь Марте. Вы же видели, в каком состоянии иногда бывала Сюзанна. Значит, Марта могла доверять только своей дочери. Разве вы не видите, что творится в этом доме?

— Вижу, — кивнул Дронго, — но зачем Анне нужно было убивать свою свекровь? Я видел, что они не очень любили и не ладили друг с другом, но из-за этого убивать? Вам не кажется, что мотив более чем странный? Невестка убивает свою свекровь только потому, что последняя к ней придирается. Если бы это случалось в каждой семье, то половина населения земного шара убивала бы своих родственниц и особенно матерей своих мужей, которые вечно бывают недовольны своими невестками.

— При чем тут недовольство или придирки? — удивился Берндт. — Речь идет о крупной сумме денег. Об очень крупной сумме, ради которой можно было и рискнуть. Как вы думаете, сколько может стоить этот дом?

— Понятия не имею.

— Около четырехсот тысяч евро, — торжествующе произнес Берндт. — И прибавьте сюда еще библиотеку, набитую раритетами, среди которых есть и настоящие фолианты. А еще родственница завещала Сюзанне около девяти миллионов евро в акциях и на счетах. А это уже просто огромное состояние. И опекуном становилась старшая сестра Сюзанны — Марта. Теперь, после смерти Марты, все имущество формально должно отойти к Герману и Мадлен. Но я не удивлюсь, если выяснится, что Герман и Анна заранее подсуетились и сумели убедить Марту составить договор, по которому все имущество переходило в их полную и безвозмездную собственность. Матери всегда относятся к сыновьям с большей любовью и заботой, хотя опираются в основном на дочерей, рассчитывая именно на их помощь.

— В таком случае Анна — настоящий монстр, — сказал Дронго. — Она — не просто убийца. Она еще и садомазохист.

— Не понимаю, о чем вы говорите, — нахмурился Берндт.

— Оба раза убийства произошли в гостиной, где в этот момент находилась ее дочь, — напомнил Дронго, — ее несовершеннолетняя дочь, герр Ширмер. Какая сила воли должна быть у этой матери, чтобы совершать свои преступления на глазах у шестилетней девочки. Ребенок может сойти с ума, увидев повторяющиеся сцены смерти сначала бабушки, а потом супруги своего фактического отца. И если Анна замыслила и осуществила подобные убийства, то она не только садист, который таким страшным образом мучает свою несовершеннолетнюю дочь, но еще и мазохист, если она получает от этого ритуала своеобразное удовлетворение. Вы не замечали за ней подобных качеств?

Бернд почувствовал иронию и нахмурился.

— Похоже, вы ее защищаете, — недовольно сказал он, — теперь мне все понятно. Эмма нарочно привезла вас сюда, чтобы вы могли выгородить этих двух сестер, вернее, их возможные пакости, которые они задумали и осуществили в этом доме.

— У вас бурная фантазия, господин Ширмер, — заметил Дронго. — Но интересно, что среди всех собравшихся только вы являетесь финансистом, который абсолютно точно знает сумму, завещанную фрейлейн Сюзанне, стоимость дома и даже возможную стоимость книг в библиотеке этого дома. Такое ощущение, что именно вы готовились стать владельцем подобного наследства.

Ширмер испугался. Было заметно, как он побледнел и капельки пота выступили у него на верхней губе. Он облизнул губы.

— Я банкир и обязан знать, что именно здесь произошло, — сказал он. — И я не мог позволить, чтобы наследство, которое отчасти принадлежит и моей супруге, попало бы в чужие руки. Поэтому я все заранее узнал. Не вижу в этом ничего зазорного.

— И кому вы рассказали об этом? Марта знала, как именно вы интересуетесь ее наследством?

— Нет, не знала. Зачем беспокоить пожилую женщину ненужными расспросами? У меня были свои источники, из которых я мог все точно узнать.

— Воспользовались своим служебным положением, — продолжал давить Дронго.

— Я обязан был защитить интересы моей супруги, — гордо заявил Берндт.

— И рассказали ей о точной стоимости наследства?

— Конечно, рассказал. А кому еще я мог доверить подобную тайну?

— Ее брату вы тоже об этом говорили?

— Не посчитал нужным. Но, судя по всему, они сами обо всем узнали. И очень подробно. Во всяком случае, подсуетилась именно его супруга, которая понимала, насколько шаткое у нее положение. Ведь она фактически могла сразу все потерять. Ее ребенок не является естественным наследником семьи Крегер, а ее муж мог в любой момент с ней развестись. Все держалось исключительно на порядочности самого Германа. И поэтому она поняла, что обязана действовать. Ведь если наследство перейдет к Герману после развода с Анной, ни она, ни ее дочь не получат ни одного евро. А вот если деньги будут получены в период, когда она все еще формально является супругой Германа, то все совместно нажитое имущество должно делиться пополам при разводе, даже полученное наследство.

— Это вы тоже узнавали, пользуясь своим положением? — не скрывая иронии, спросил Дронго.

— И это тоже. У нас в банке работают очень хорошие юристы, — сообщил Берндт, — поэтому будет правильно, если вы не станете защищать Анну, которая, безусловно, спланировала и осуществила эти два убийства.

Из комнаты послышался плач девочки. Ева, увидев, что ее маму куда-то от нее уводят, начала плакать. Из комнаты вышел мрачный Нерлингер, за ним — Анна, на руках которой были наручники, двое офицеров, затем — Герман с Евой на руках, Арнольд, Эмма. Вся эта процессия начала спускаться по лестнице. Дом наполнился вздохами, криками и плачем.

Даже появившаяся внизу Калерия Яковлевна всплеснула руками и огорченно забормотала. Герман передал девочку Эмме и двинулся следом за женой. На шум из комнаты вышла Мадлен.

— Мы найдем тебе лучшего адвоката! — крикнул супруге Герман. — Я прямо сейчас позвоню, чтобы его послали в полицейское управление. Не отвечай ни на один вопрос без адвоката, ни на один! Мы сделаем все, чтобы доказать твою непричастность к этим убийствам.

Анна, соглашаясь, кивала. В глазах у нее стояли слезы. Она крикнула, обращаясь к сестре:

— Следи за Евой и никуда ее не отпускай.

— Не волнуйся! — закричала в ответ Эмма. — Я все сделаю как следует! Ты только не беспокойся.

Нерлингер приказал подать машину прямо к подъезду. Через несколько минут они уехали. Герман почти сразу позвонил своим родственникам и, взяв машину, отправился следом. Эмма увела девочку в комнату. Калерия Яковлевна прошла на кухню, Мадлен и Берндт вернулись в свою комнату. Дронго спустился в гостиную, где дежурил офицер, смотревший телевизор, и уселся на стуле. Вскоре вошел Арнольд Пастушенко и сел рядом с ним. Молчание было долгим.

— Лесю отравили тем же ядом, каким за день до этого отравили хозяйку дома, — наконец сообщил Арнольд.

— Примите мои соболезнования.

— Спасибо. Вы были правы, когда, едва взглянув на Лесю, сказали, что ее отравили ядом. Как вы смогли так быстро это определить?

— Многолетняя практика, — пояснил Дронго. — Вы любили ее?

— По-своему, да. Она была взбалмошной, неуравновешенной, задиристой, отважной. Но в молодости подобные качества естественны и простительны. Я сам был таким. Молодым, наглым, считал, что весь мир у меня в кармане, и дважды едва не погорел. Но, как видите, все обошлось. Со мной все обошлось, а с Лесей нет. Ее подло убили у нас на глазах. Чашка, из которой она пила, стояла в пятидесяти сантиметрах от меня. Или еще ближе. И я не понимаю, кто и когда мог бросить туда яд.

— Мы все встали в тот момент, когда услышали, что звонит тетя Сюзанна, — напомнил Дронго, — и, видимо, убийца воспользовался этим моментом.

— Если бы мы знали, кто это был, — вздохнул Пастушенко. — Я даже не знаю, кого мне подозревать. Хотите откровенно?

— Можете не говорить. Я знаю, что вы можете сказать, — продолжил за своего собеседника Дронго. — Вы хотите сказать, что я единственный человек, по отношению к которому у вас есть подозрения. Правильно?

— Да. Вы единственный среди нас чужой.

— И поэтому вы мне не доверяете. Все правильно. Только я не убивал вашей супруги, это абсолютно точно.

— Тогда кто ее убил? Я никогда в жизни не поверю, что это сделала Анна.

— И ее вы тоже до сих пор любите?

— Это другая любовь. Пополам с болью. Мы ведь были дружны с первого класса. Она мне всегда очень нравилась. Полагаю, что и я нравился ей. Потом время нас раскидало, я уехал на Украину, они остались в Казахстане, затем перебрались в Германию. Когда я приехал сюда, то довольно быстро выяснил, что она уже вышла замуж за Германа Крегера. Если бы вы знали, какая трагедия это была для меня. А позже мы случайно встретились. Нет, это была не любовь. Просто внезапно вспыхнувшая страсть. Уходя, она предупредила меня, что больше никаких встреч не будет. Чтобы я даже не пытался с ней увидеться. И ушла, казалось, навсегда. Через некоторое время я узнал, что она ждет ребенка. По моим расчетам получалось, что это моя дочь. Я долго искал с Анной встречи, а потом мы наконец увиделись. И она твердо сказала мне, что это ребенок Германа. Нет, физически он был от меня, и она не могла сделать аборт, так как врачи посчитали это исключительно опасным для ее здоровья. А вот фактически ребенок стал дочерью Германа. Он дал ей свою фамилию, свое отчество, он стал ее настоящим отцом. Был рядом с ней с первого момента ее рождения, обнимал ее, любил, заботился, растил. И она тоже любит его, достаточно посмотреть на их отношения, чтобы все понять. Я считал себя не вправе разрушать эту семейную идиллию. Позже я узнал, что Анна посчитала невозможным скрыть от Германа, кто истинный отец ребенка. Не знаю, в каких словах она ему об этом рассказала. Но он, видимо, настоящий мужчина и очень ее любит. Он все правильно понял. Ведь она сама ему все рассказала, и с тех пор действительно мы ни разу не встречались. А в прошлом году я впервые позвонил к ним и поздравил с пятилетием девочки. Герман сам предложил мне приехать к ним. А потом я женился, и мне казалось, что все может наладиться в лучшую сторону. Но Эмма, сестра Анны, и моя Леся были слишком нетерпимо настроены друг к другу. И вы видите, чем все это закончилось.

Он помолчал. Потом снова начал говорить:

— Теперь вы понимаете, почему я абсолютно убежден в невиновности Анны. Она просто не тот человек, который будет мстить таким страшным образом. Если бы она не хотела, чтобы Леся здесь появлялась, она бы сама мне об этом сказала. Она не стала бы травить мою жену, как крысу. Для этого Анна слишком уважает себя. У нее не такой бешеный характер, как у ее младшей сестры. Эмма максималистка. Она всегда была такой, еще в школе. Ей нужно все или ничего. Анна же спокойная и цельная женщина.

— Значит, кроме меня, вы никого не подозреваете? — уточнил Дронго.

— Да, — упрямо проговорил Арнольд, — больше некому. Мадлен и Берндт не стали бы убивать Марту, это невозможно. Герман тоже любил свою мать. Анна никогда бы не смогла стать убийцей матери своего мужа. Остается несчастная Калерия Яковлевна, которая и мухи обидеть не может. И вы... Теперь скажите, кого я должен подозревать?

— Вы не назвали еще одного человека, который все время был с нами в гостиной, — напомнил Дронго.

— Только не вспоминайте несчастную Сюзанну. Она хороший человек и не такой уж больной, как о ней говорят. Но на убийство она точно не способна.

— Я не о ней...

— Тогда остается Ева, — улыбнулся Арнольд. — Надеюсь ее вы не станете подозревать?

— Не стану. Но остается еще один человек, — упрямо повторил Дронго.

— Кто? — шепотом спросил Пастушенко, озираясь на скучающего офицера полиции, смотревшего телевизор.

— Эмма, младшая сестра Анны. Это ведь про нее вы сейчас сказали, что она максималистка, — напомнил Дронго, — все или ничего. Кажется, такой она была и в молодости.

Пастушенко открыл рот, словно намереваясь возразить, и закрыл его. Потом отвернулся. И больше не проронил ни слова.

Глава 16

Ужин обычно начинался в восемь, но ближе к восьми находившиеся в своей комнате Мадлен и Берндт отказались спуститься вниз. Герман поднялся к своей дочери, чтобы быть рядом с ней. Эмма также не спускалась. Получилось, что, кроме самого Дронго, за столом сидел только Арнольд Пастушенко, который вообще не собирался ужинать после всех событий, происшедших в доме. Калерия Яковлевна несколько раз испуганно заглядывала в гостиную, но оба гостя не высказывали желания ужинать. Один все время пил крепкий кофе, другой — чай.

На часах было уже половина девятого вечера, когда позвонил следователь Менцель. Он позвал к телефону Дронго.

— Господин эксперт, — сообщил следователь, — сегодня мы задержали фрау Анну Крегер. Но ее муж обратился к известному адвокату Фридриху Зинцхеймеру, и он завтра будет выступать в суде. Полагаю, что мы будем вынуждены освободить фрау Крегер до окончания расследования под денежный залог. Не хочу предвосхищать решения суда, но думаю, что Зинцхеймер не позволит им принять другое решение. Что касается фрейлейн Сюзанны, то наши эксперты закончили обследование пожилой женщины, и мы могли бы отпустить ее домой. Однако психиатры настаивают, чтобы фрейлейн Сюзанна оставалась в лечебном учреждении, где ей будут созданы все условия для нормальной жизни. Наши специалисты уверены, что ей нельзя возвращаться домой и жить одной без своей сестры, которая ее так опекала.

— Вы сообщили об этом ее родственникам? — спросил Дронго. — Не забывайте, что Герман Крегер и Мадлен Ширмер являются ее племянниками, которые и могут принять конкретное решение по этому вопросу.

— Комиссар Реннер попросил нас информировать в первую очередь именно вас, — сухо сказал Менцель, — чтобы вы были в курсе всех происходящих событий. Вопрос о задержании фрау Анны Крегер будет рассмотрен завтра в десять утра. И утром родственники фрейлейн Сюзанны смогут ее навестить. Что касается оставшихся в доме людей, то они могут его покинуть, но завтра собраться в доме. Туда приедут наши психологи для более обстоятельной беседы с каждым из вас. До свидания.

— До свидания. — Дронго положил трубку, взглянул на сидевшего рядом с ним Пастушенко: — Завтра суд будет рассматривать вопрос о мере пресечения для Анны. Что касается тети Сюзанны, то психиатры подтвердили ее «ограниченную дееспособность» и предлагают оставить ее в клинике. Вы можете поехать домой, Арнольд, и немного отдохнуть.

— Я так и сделаю. — Пастушенко тяжело поднялся и, посмотрев на Дронго, неожиданно сказал: — Не знаю, что именно вы здесь делаете, но надеюсь, что ваше присутствие все-таки поможет найти убийцу. Если, конечно, он есть и если это не вы. До свидания.

Он повернулся и вышел из гостиной. Офицер, сидевший у телевизора, потянулся, посмотрел на Дронго и тоже вышел следом за Пастушенко. Дронго остался один. Опять заглянула Калерия Яковлевна.

— Может, что-нибудь покушаете? — спросила она.

— Нет, спасибо, — поблагодарил Дронго, — я подожду, пока спустится фрау Эмма.

Ждать пришлось довольно долго. Молодая женщина спустилась вниз ближе к десяти часам вечера. Прошла к столу, уселась рядом с экспертом.

— Ева заснула, — сообщила она. — Бедный Герман так измучился. Он тоже уснул вместе с ней. Но завтра утром он поедет к своему родственнику, который пообещал лично представлять в суде интересы Анны.

— Я уже все знаю, — сказал Дронго, — мне звонил следователь Менцель. На завтра назначено рассмотрение вопроса об изменении меры пресечения для вашей сестры. Думаю, что адвокат добьется ее освобождения до суда.

— Надеюсь, — вздохнула Эмма, — мы все так устали. Два убийства подряд — такое дикое испытание для нашей психики.

— Для всех, находившихся в доме, это было тяжелым испытанием, — согласился Дронго.

— И невозможно понять, кто убийца, — задумчиво продолжала Эмма. — Чем больше я об этом думаю, тем больше у меня болит голова. Я терпеть не могу сестру Германа, но она безумно любила свою мать. Как и ее муж Берндт, причем это чувство симпатии было обоюдным. Затем Герман. Но на него даже смешно думать. И я точно знаю, что Анна никогда бы в жизни не убила. Однако Марту отравили. А потом и жену Арнольда. И это совсем все запутало. Если кто-то и не любил Марту, то зачем ее убивать? И тем более зачем убивать Лесю? Но в доме больше никого нет. В то, что убийца сам Арнольд, я тоже верю с трудом. Тогда что здесь происходит?

— Есть еще подозреваемый, — сказал Дронго. — И это ваш покорный слуга. Я специалист именно в этой области, неплохо разбираюсь в ядах, мог незаметно всыпать его сначала в бокал Марты, а затем в чашку Леси. Именно я вспомнил о бокалах, которые задела рукой Сюзанна, и этим обеспечил ей надежное алиби. Одним словом, я идеально подхожу на роль убийцы.

— Не нужно так говорить, — попросила, нахмурившись, Эмма, — это совсем не шутки. Просто непонятно, что здесь происходит. Если бы я сама не пригласила вас к нам в дом, то я могла бы подозревать вас в первую очередь. Но ведь вас пригласила именно я.

— Тогда остается последний подозреваемый, — сделал вывод Дронго, — и это вы.

— Спасибо, — мрачно поблагодарила Эмма. — Это все, что вы можете мне сказать? Если даже вы считаете меня подозреваемой, представляю, как думают обо мне все остальные. Если два убийства совершила не Анна, то наверняка ее младшая сестра. Особа с таким неуживчивым характером.

— Про характер я не говорил, — возразил Дронго. — Мы перечислили с вами всех, кто был в этом доме в момент убийства, и пришли к выводу, что ни один из них не мог совершить двойного преступления. Значит, остаются только два человека — я и вы. Других вариантов просто не существует.

— У меня, кажется, упало давление и кружится голова, — призналась Эмма. — Вы не могли бы попросить Калерию Яковлевну дать мне чашечку кофе. Только попросите, чтобы она была без порции яда.

— Надеюсь, что с кофе все будет в порядке, — в тон своей собеседнице ответил Дронго и, пройдя на кухню, попросил принести чашку кофе и чашку зеленого чая. Калерия Яковлевна в знак согласия кивнула. Дронго вернулся в гостиную, сел рядом с Эммой.

— Сейчас принесут ваш кофе, — сказал он. — На всякий случай мы сначала попробуем ваш кофе, потом мой чай, а уж потом будем их пить.

— Спасибо, — кивнула Эмма. — А насчет подозреваемых вы говорили серьезно?

— Абсолютно. Здесь не так много людей, и формально я единственный чужой в вашей компании. А вы меня сюда пригласили. Значит, мы двое под особым подозрением.

— Я никого не убивала, — мрачно ответила Эмма. — Надеюсь, что вы тоже.

— В нашем случае это не аргумент. В доме никого, кроме нас, не было. И двое погибших, которых одинаковым способом отравили. Два дня назад нас было двенадцать человек. Вычтем двоих погибших. Остаются десять. Тетя Сюзанна не была здесь с нами во время второго убийства. Значит, девять. Уберем вашу племянницу Еву. Осталось восемь человек. Четверо мужчин — Герман, Берндт, Арнольд и я. И четыре женщины — Мадлен, ваша сестра Анна, Калерия Яковлевна и вы. Вот и все подозреваемые. Среди мужчин троих можно сразу убрать. Герман ни за что не стал бы убивать свою мать. Берндт был любимым зятем. Арнольд потерял свою молодую жену, которую, оказывается, очень любил. Значит, из мужчин остаюсь только я. А из женщин, конечно, нужно исключить Калерию Яковлевну, этот «божий одуванчик», которая никого и никогда не сможет убить.

И тогда останутся... только три женщины. Ваша сестра, Мадлен и вы.

— Мадлен сразу исключите, — предложила Эмма. — Вы же видели, как она убивалась. В конце концов, она не Сара Бернар, чтобы так притворяться. Тем более когда речь идет о ее матери.

— Тогда основные подозреваемые — это мы с вами. Кстати, полиция уже проверила наши совместные маршруты и легко установила, что вчера вы не поехали ночевать к своей подруге...

Эмма покраснела, посмотрела на Дронго.

— Неужели они подумали, что я провела ночь в вашем номере? — спросила она, отводя глаза.

— Они именно так и подумали, — спокойно ответил Дронго. — Им даже в голову не могло прийти, что я снял вам номер на другом этаже и между нами ничего не было.

— Вы опозорили меня, даже не притронувшись ко мне. Наверно, это тоже особенный дар, которым вы обладаете, — сердито сказала Эмма.

— Я не думал, что полиция будет так тщательно следить за нашими совместными перемещениями, — признался Дронго.

Калерия Яковлевна внесла две чашки: одну — с кофе для Эммы, другую — с зеленым чаем для Дронго. Он не разрешил своей собеседнице пить кофе, пока сам не попробовал его. Затем протянул чашку Эмме.

— Теперь можете спокойно пить, — предложил он, — кофе не отравлен.

Она кивнула и, обхватив чашку обеими руками, начала пить.

— Завтра все начнется заново, — сказал Дронго. — Но сначала, я думаю, они отпустят под залог вашу сестру.

— Я тоже на это надеюсь. Но как они найдут убийцу?

— Этого я пока не знаю.

— Боюсь, что этого не знают и сами сотрудники полиции, — в сердцах заявила Эмма.

Эксперт попробовал свой чай. Кажется, все в порядке.

Нам нужно отсюда уезжать, — предложил Дронго. — И сегодня вы должны наконец отправиться к своей подруге. Завтра будет сложный день. Нас наверняка будут допрашивать не только следователи, но и психоаналитики, пытаясь понять, что именно здесь произошло. У них не каждый день происходят два убийства подряд в одном доме. Я даже предполагаю, что давно подобных преступлений не было именно в Потсдаме.

— Что они вам сегодня говорили? — спросила Эмма.

— Сначала подозревали, что я главный консультант по организации обоих убийств. Потом начали говорить, что я вообще исполнитель. Потом пытались объяснить, как они меня посадят. А под конец появился комиссар Реннер, мой хороший знакомый, и предложил отпустить меня, что они и сделали. Вот такая история.

— А завтра они опять будут обвинять Анну в этих убийствах?

— Во всяком случае, они попытаются доказать ее причастность к обоим убийствам. Против нее есть конкретные улики. Сначала на столе появилась лишняя чашка с ее отпечатками пальцев. А позже в ее комнате нашли яд, которым отравили обе жертвы. И самое неприятное, что именно ваша сестра недолюбливала Марту и наверняка терпеть не могла Лесю, жену отца ее ребенка.

— Ей было абсолютно все равно, с кем именно живет Арнольд. Она его уже не любила. У нее все перегорело. Поверьте, это правда. Поэтому Анна и оставалась с Германом, а не с Арнольдом.

— Убедили. Значит, убийца один из нас, — угрюмо сказал он.

— Это шутка?

— К сожалению, в каждой шутке есть только доля шутки, — сказал Дронго.

Эмма допила свой кофе. Тяжело вздохнула.

— Самое главное, чтобы они не обвиняли Анну. Все эти неприятности могут ее добить. Если разрешите, я еще раз поднимусь наверх и посмотрю, как там устроилась Ева. А потом мы с вами уедем.

— Конечно, — согласился Дронго, — не беспокойтесь. Я подожду.

Эмма вышла из гостиной. Были слышны ее шаги на лестнице. Потом она постучала в комнату, где оставались Герман и Ева. Через некоторое время Герман открыл дверь. Состоялся короткий разговор, и еще через минуту ее каблуки застучали по лестнице вниз.

— Поедем, — предложила Эмма, — я отвезу вас в отель и поеду к Рите. Я думала, что после вчерашнего дня меня уже ничто не сможет удивить, но сегодняшний день оказался еще хуже вчерашнего. Как вы думаете, может, завтра будет лучше, чем сегодня?

— Не знаю, — ответил Дронго, — но очень надеюсь, что в этом доме не будет третьего убийства.

— Типун вам на язык, — пожелала Эмма. — Идемте. Здесь будут дежурить всю ночь сотрудники полиции.

Они попрощались с Калерией Яковлевной, вышли на улицу. Рядом стояли двое сотрудников полиции, которые внимательно на них посмотрели. Эмма прошла к своему автомобилю, села за руль и демонстративно громко хлопнула дверцей. Дронго уселся рядом, пристегнулся. Машина тронулась с места.

— Как вы думаете, за нами будут следить? — поинтересовалась Эмма.

— Зачем?

— Чтобы мы никуда не сбежали.

— Далеко мы все равно не убежим, особенно в Германии, но если попытаемся скрыться, то этим самым распишемся в собственной причастности к этим преступлениям. Поэтому не будем никуда бегать.

— Убедили, — кивнула Эмма. — Что бы мы ни делали, они все равно будут знать. А насчет отеля вы пошутили или сказали правду?

— В каком смысле?

— Что они проверяли отель. Останавливалась ли я в нем.

— Конечно, правда. Мы уехали вместе, и это вызывало обоснованные подозрения у следователя и инспектора. Поэтому и проверили. Но поверить, что я снял вам номер на другом этаже в своем отеле, они не могли. Такое просто не могло прийти в голову сотрудникам немецкой полиции. Здесь просвещенная Европа, а мы с вами все-таки родом из Азии.

— Северный Казахстан находится в Европе, — возразила Эмма.

— Только западная часть. А вы жили далеко на востоке, — напомнил Дронго, — поэтому мы немного другие. Не столь просвещенные, как немцы.

— Значит, нужно постепенно меняться в сторону просвещенной европейской цивилизации, — усмехнулась Эмма.

— Не уверен, что это у нас получится, — меланхолично возразил Дронго.

— Это уже зависит от нас. — Она неожиданно сбавила скорость, свернула с шоссе и остановила машину. Дронго удивленно посмотрел на нее.

— Да ну вас к черту! — сказала Эмма и, неожиданно обняв его, крепко поцеловала.

От неожиданности эксперт даже замер. Кажется, такого в его жизни не было.

— Если за нами следят, то они получат прямое подтверждение своей теории о нашем сговоре, — предупредил Дронго. — И на этот раз мне будет трудно доказать, что я не работал на вас. Вы должны понимать, что среди главных подозреваемых остаются только три человека. Вы, я и ваша сестра.

— Я не предлагаю вам встречаться с моей сестрой, — заметила Эмма, — вполне достаточно, чтобы вы встречались только со мной.

— Прекрасное предложение, — улыбнулся Дронго, — только давайте сегодня благополучно доедем до отеля. А вы поедете к своей подруге. Сегодня явно не тот вечер, когда мы должны с вами встречаться. Иначе мы дадим следователю лишний повод подозревать нас в сговоре. Ведь я только сегодня отрицал нашу возможную связь. Рассказывал, что мы просто хорошие знакомые. Уже не говоря о том, что мы оба смертельно устали.

— У вас всегда есть отговорки, — вздохнула Эмма, — но насчет сегодняшнего дня вы правы. День оказался слишком длинным. Поедем, я оставлю вас в отеле. Кстати, почему вы так плохо целуетесь?

Дронго рассмеялся. Первый раз за этот день.

— Завтра все будет иначе, — убежденно произнес он.

— Надеюсь, — кивнула Эмма, — очень надеюсь.

Глава 17

Ранним утром Дронго проснулся в своем номере. Он сел на кровать, включил свет. Иногда ночью его будили некие воспоминания, которые к месту или не к месту появлялись в его снах. Он часто видел своего отца. Некоторые считали это дурным знаком, но Дронго не обращал на предрассудки внимания, и каждое появление отца радовало его, словно тот приходил в его сны, чтобы что-то посоветовать, помочь или поддержать.

Сегодня Дронго увидел какие-то смутные обрывки далеких событий, происходивших в молодости. Но его прежде всего волновали события последних двух дней, когда случившиеся буквально на его глазах убийства стали настоящим вызовом не только сотрудникам полиции и следователям, но и ему самому. Дронго прошел в ванную комнату, умылся. На часах было около шести. Кажется, у них завтрак начинается с шести утра, вспомнил Дронго. Но завтракать совсем не хотелось. Он вернулся в комнату, надел брюки и подсел к столу. Взял лист бумаги и нарисовал стол. Затем начал по памяти восстанавливать, кто и где сидел за столом. Во главе стола сидела сама хозяйка дома. С правой стороны от нее размещались ее сестра Сюзанна, ее дочь Мадлен, ее зять Берндт, затем чета Пастушенко. А с левой стороны находились места для Германа, Анны, маленькой Евы, Эммы и самого Дронго. Он задумчиво смотрел на схему. Когда Герман поднялся и потушил свет, Калерия Яковлевна вкатила тележку с тортом. Она стояла рядом с тортом и никуда не отлучалась. Герман упрашивал мать задуть свечи. Торт стоял с его стороны, Калерия вкатила его с левой стороны от Марты. Герман упрашивал мать, стоя у выключателя. Но Марта не поднялась. Вместо нее встала Сюзанна и начала задувать свечи. Затем вернулась на свое место. С правой стороны убийца должен был пройти мимо Мадлен, и она должна была что-то заметить или почувствовать. Хотя место самой тети Сюзанны пустовало. Значит, отсюда могли подойти Берндт или кто-то из Пастушенко. Подойти и бросить яд в бокал Марты. А слева нужно было подняться и обойти Калерию Яковлевну, стоявшего Германа, пройти мимо всех остальных людей, сидевших с этой стороны. Похоже, что это было бы нереально, даже если яд пыталась бросить сама Анна. Ее муж стоял недалеко от торта. Он мог не обратить внимания на свою супругу. Можст, сму вообще показалось, что она поднялась для того, чтобы помочь его матери задуть свечи. Но потом она вернулась на свое место. И, кроме самого Германа, это должна была замстить или почувствовать Калерия Яковлевна, которая стояла с этой стороны и ждала, когда хозяйка наконец задует свечи и разрежет торт. Дронго еще раз посмотрел на рисунок. Интересно, что начерченная таким образом схема невольно подсказывает решение этой задачи. Или ему так только кажется?

Затем было убийство Леси Пастушенко. Но это случилось на следующий день. Калерия Яковлевна позвала Германа к телефону, и он вышел из гостиной в коридор. Мужчины поднялись и подошли к выходу. Кто остался за столом? Женщины. Женщины, одна из которых бросила яд. Но это гораздо удобнее сделать, когда все отвернулись.

Дронго написал имена — Марта и Леся. Снова задумался. Почему обвиняют Анну, он понимает, здесь, безусловно, есть конкретная связь с ее жизнью. Свекровь мучила ее, а Леся нагло пыталась ее чуть ли не шантажировать при людях.

Если это была Анна, то тогда существует причинная связь. Но каким образом Анна могла в первом случае обойти всех и подойти к столу с другой стороны? Да еще так, чтобы ее никто не заметил. Это сложно. А в случае с женой Арнольда Пастушенко вообще невозможно. Она ведь сидела с другой стороны и никак не могла бы дотянуться до бокала своей свекрови. Значит, это точно была не она. Дронго нахмурился. Поневоле начнешь верить в привидения.

Дронго в последний раз посмотрел на набросанную схему и, поднявшись, отправился в ванную комнату. Он тщательно побрился, принял душ и уже к половине восьмого спустился вниз, чтобы позавтракать. Сидя за столом, он продолжал размышлять об убийствах.

Закончив завтракать, он снова поднялся в свой номер и снова долго сидел над начерченной им схемой. В десятом часу позвонила Эмма, которая приехала за ним на своем «Фольксвагене». Дронго вышел из отеля, уселся на переднее сиденье рядом с Эммой, поцеловал ее в щеку.

— Спасибо и на этом, — усмехнулась молодая женщина, — мы должны поехать в Потсдам.

Он, соглашаясь, кивнул. Когда машина выехала на шоссе, зазвонил ее телефон. Она достала мобильник.

— Доброе утро. Что случилось? Да, я все понимаю. Поздравляю. Я никогда в этом не сомневалась. Мы будем тебя ждать. Нет, мы уже едем.

Она убрала телефон и весело посмотрела на Дронго.

— Суд не дал санкцию на арест сестры, — сообщила Эмма. — Нашему адвокату удалось доказать, что и чашку, и порошок с ядом ей подбросили в комнату. Там находилась ее дочь, и адвокат объяснил судье, что Анна не стала бы так рисковать, если бы держала дома этот порошок. Я имею в виду в комнате, где стояла и кроватка Евы.

— Судьи согласились?

— Выпустили под залог в двести тысяч евро, — пояснила Эмма. — Я думаю, что Герман сумеет до вечера внести деньги, чтобы Анна могла приехать домой.

— Он может сдать документы на дом, которые стоят гораздо больше, и получить нужные деньги, — посоветовал Дронго.

— Откуда вы знаете, сколько стоит их дом? — удивилась Эмма, искоса посмотрев на своего спутника.

— Мне об этом сказал Берндт. Он же работает в банке, — пояснил Дронго. — И он точно знает, что дом стоит около четырехсот тысяч евро. И даже знает, что ваша библиотека со старыми книгами тоже стоит определенных денег.

— Я поэтому не люблю банкиров, — призналась Эмма, — их интересуют только деньги. Он даже не знает, какие именно там есть книги, но наверняка сумел точно подсчитать стоимость всей библиотеки.

— Он мне вчера вечером об этом говорил.

— Они приезжали к Марте за день до юбилея, — вспомнила Эмма, — раз об этом говорила сама Марта. Наверно, хотели оценить стоимость библиотеки и дома. Причем сделать это так, чтобы об этом не узнали Герман и Анна. Конечно, они все рассчитали. Мадлен такая же меркантильная, как и ее муж. С кем поведешься, от того и наберешься, — кажется, есть такая пословица.

— Банкир обязан уметь считать деньги, — улыбнулся Дронго. — Меня сейчас интересует исчезнувшая чашка из комнаты, где обычно остаются ваша сестра, ее муж и дочь. У кого есть ключи от этой комнаты?

— У Германа, конечно. Анна никогда не приезжала сюда без мужа. Даже не представляю, как бы она одна тут оставалась.

— У кого, кроме Германа, могли быть ключи?

— Наверно, у самой Марты.

— И больше ни у кого?

— Может быть, у Калерии Яковлевны, — предположила Эмма, — но я не уверена.

— А у самого Германа были ключи от других комнат в доме или от входных дверей?

— Нет. Точно нет. Это я наверняка знаю.

— Если вашу сестру подставили, то кто-то нарочно вошел в ее комнату, забрал чашку с остатками молока, высыпал туда часть ядовитого порошка, который использовался для убийства сначала Марты, а затем и Леси. И после этого убийца принес чашку и поставил ее на стол рядом с другими чашками. Если это сделала не Анна, то это мог сделать убийца, который решил таким образом подставить вашу сестру.

Эмма прикусила губу и увеличила скорость.

— Убийца все рассчитал правильно. Он принес чашку с отпечатками пальцев вашей сестры и поставил на стол. А в ее комнату подбросил пакетик с этим порошком. Таким образом, получилось, будто ваша сестра совершила преступление.

— Кто это сделал? — глухо спросила Эмма.

— Не знаю, — ответил Дронго.

— Я так и думала, что мою сестру подставили.

— Но настоящий убийца воспользовался несколькими секундами, когда все смотрели в коридор, слушая, о чем говорит Герман, и отравил кофе в чашке Леси Пастушенко.

— Мало того, что он убил Лесю, так этот негодяй еще и подставил мою сестру.

— Это как раз был продуманный и очень коварный замысел.

Эмма въехала в Потсдам и направилась к дому семьи Крегер. Когда они подъехали, там уже были припаркованы несколько автомобилей сотрудников полиции.

— Теперь они не оставят нас в покое, — раздраженно сказала Эмма, — и не успокоятся, пока не достанут нас всех.

Они вошли в дом. Там уже находились Менцель и Нерлингер. Инспектор, увидев, как они вдвоем входят в дом, отвернулся, не прокомментировав их совместного появления. Эмма сразу поспешила наверх, чтобы навестить свою племянницу, которая оставалась там с Германом. Менцель шагнул к Дронго.

— Экспертиза подтвердила идентичность токсических веществ, которыми были отравлены сначала Марта Крегер, а затем и Леся Пастушенко, — сообщил следователь. — У нас нет сомнений, что убийство обеих женщин совершено одним человеком. Более того, найденные в чашке остатки токсического вещества также из этой группы ядов. И порошок, который мы нашли в комнате на втором этаже. И хотя решением суда подозреваемая Анна Крегер освобождена под залог, мы подадим апелляцию с требованием пересмотра этого дела и привлечения ее к уголовной ответственности. Учитывая все обстоятельства дела, мы считаем, что именно она сначала отравила свою свекровь, а затем убила и свою счастливую соперницу, которая вышла замуж за отца ее ребенка. Вчера в разговоре со мной Анна Крегер сказала, что отцом ее ребенка является Арнольд Пастушенко, что косвенно подтверждает нашу версию.

«Хорошо, что нас не слышит Эмма», — подумал Дронго.

— Мне кажется, что вы делаете слишком поспешные выводы, — предупредил Дронго следователя. — Возможно, кто-то пытается подставить Анну Крегер.

— В отличие от вас, господин эксперт, я всего лишь обычный следователь, который занимается обычными преступлениями, — раздраженно заявил Менцель. — И в нашем городе два случая подряд отравления в одном доме — это уже больше, чем просто криминальная история. И нам вполне хватит двух трупов. Все остальные истории можно придумать для детективного романа. А у нас конкретная история и конкретный подозреваемый, или, вернее, подозреваемая, которой мы все равно предъявим обвинение и добьемся ее осуждения.

— И тем не менее я настаиваю на своей версии, — сказал Дронго. — Если вы проанализируете оба преступления, то поймете, что именно вы ошибаетесь. Подумайте сами. В первом случае убийца воспользовался моментом, когда отключили свет, и незаметно бросил яд в бокал Марты Крегер. А во втором также воспользовался моментом, когда все отвлеклись от стола. Причем в первом случае яд оказался в бокале с шампанским, а во втором — в чашке с кофе. И этот убийца совершает такую глупую ошибку, приносит свою чашку с отпечатками пальцев и следами порошка. А другую часть ядовитого порошка оставляет в своей комнате, в которой спит ее дочь. Господин Менцель, вы понимаете, что ни одна мать в здравом уме так не поступит. Даже если она трижды убийца.

Следователь молчал. Он начал понимать резонность доводов этого непонятного человека.

— Предположим, что я соглашусь с вами, — сказал Менцель. — Тогда назовите мне того, кто все это придумал. Покажите мне конкретного убийцу. Я не могу докладывать прокурору о том, что подозреваемое в этих преступлениях лицо, чьи отпечатки пальцев мы нашли на чашке с токсичным веществом, ни в чем не виновато и его лишь пытаются подставить. А еще мы нашли в его комнате остатки этого яда. И я должен докладывать прокурору, что все это лишь непонятный блеф, что неизвестный убийца пытался отправить нас по ложному следу и я не могу арестовать конкретного исполнителя этих преступлений только потому, что находившийся в доме эксперт считает, что это была провокация настоящего убийцы. Считает без единого факта и без доказательств. А у меня есть не только конкретные доказательства ее вины, но еще и неопровержимый факт, что убитая женщина была женой человека, который являлся отцом ее ребенка. Или это тоже мои домыслы? Женская ревность гораздо страшнее мужской, об этом вам скажет любой психолог. Хочу вам сообщить, господин эксперт, что я буду настаивать на своей версии, даже если комиссар Реннер будет вас поддерживать. Надеюсь, что мы поняли друг друга.

Менцель повернулся и пошел к выходу.

«Самодовольный индюк, — раздраженно подумал Дронго, — хотя нужно отдать ему должное. Он по-своему правильно выстраивает версию случившегося. Но предположим, что Анна ненавидела Лесю и решила ее убить, чтобы разлучить счастливую соперницу с отцом своего ребенка... Но как тогда разумно объяснить убийство Марты? Тогда получается, что Анна просто сумасшедшая истеричка. Перед тем как убить свою соперницу, она убивает мать своего мужа, человека, который простил ей даже рождение ребенка от другого мужчины. Нет, это невозможно. Я с ней разговаривал и знаю, что она уравновешенная особа, неспособная совершить убийство. А вот ее младшая сестра более решительная и максималистка — в этом Арнольд Пастушенко прав. Но если Анна не убивала этих женщин, то кто и зачем их убил? Если убийство Марты каким-то образом связано с огромным наследством, полученным Сюзанной, опекуном которой стала Марта, то зачем убивать абсолютно безвредную Лесю, в чьей смерти не будет никаких дивидентов? Что может в таком случае связывать эти два убийства?»

По лестнице спускались Герман, Анна, Эмма и маленькая Ева. Кажется, все четверо были счастливы. За ними спускались Мадлен и Берндт. Вшестером прошли в гостиную, где уже суетилась Калерия Яковлевна. Дронго подумал, что он здесь лишний.

В гостиной все уселись на свои места, не хватало Пастушенко. Говорили вполголоса. Анна выглядела уставшей, но вполне довольной. Эмма казалась тоже довольной жизнью. Герман перевел все деньги, какие у него были, и добился быстрого освобождения своей жены. За столом никто не вспоминал о происшедших событиях, словно их вообще не было. И часы показывали почти двенадцать, но Пастушенко так и не появлялся. Его длительное отсутствие начало беспокоить присутствующих. Эмма достала свой телефон и набрала номер Арнольда. Но его телефон был отключен. Через несколько минут ему перезвонила Анна, и телефон Пастушенко снова молчал.

— В конце концов, так нельзя, — наконец сказала Эмма. — Пусть инспектор проверит, где и почему задержался Арнольд.

Она поднялась и вышла из гостиной, чтобы найти Нерлингера, который со своими сотрудниками проводил тщательный обыск на втором этаже. Эмма сообщила инспектору, что, несмотря на полдень, Арнольд так и не появился в их доме.

— Не беспокойтесь, — посоветовал Нерлингер, — он находится в прокуратуре, где беседует с прокурором по поводу смерти своей супруги. Вскоре он приедет сюда.

Эмма вернулась в гостиную.

— Инспектор говорит, что все порядке, — сообщила она. — Я вообще уже ничего не понимаю.

— Они хотят допросить каждого из нас по отдельности, — сообщил Берндт. — Я надеюсь, что сегодня все эти допросы наконец закончатся. И не забывайте, что нам нужно будет еще собрать документы, чтобы оформить опекунство над тетей Сюзанной. Полагаю, что никто из вас не будет возражать, если опекуном станет Мадлен. В конце концов, вы живете в Кельне, а мы в Берлине.

— Никто, — согласился Герман, — но опеку нужно оформить как можно быстрее. Если хочешь, я скажу нашему адвокату, чтобы он подготовил необходимые документы.

— Это будет правильно, — кивнул Берндт.

Дронго подумал, что не видел и не разговаривал с их родственницей после того, как она отсюда уехала в сопровождении Германа. Он подошел к Герману и наклонился к нему.

— Можно с вами переговорить? — попросил он. — У меня к вам важное дело.

Глава 18

Вместе с Германом они вышли из гостиной. Дронго оглянулся и, убедившись, что в коридоре никого нет, обратился к спутнику:

— Господин Крегер, вчера следователь сказал мне, что сегодня разрешат навестить вашу родственницу. Они будут решать вопрос о новом опекуне. И заодно примут решение о том, можно ли ей вернуться домой.

— Я знаю, — ответил Герман, — меня пригласили туда на два часа дня.

— Пока здесь будут идти допросы, мы можем туда проехать, — предложил Дронго. — Мне очень важно с ней переговорить.

— О чем с ней можно говорить? — недовольно спросил Герман. — Вы же сами видите, что у нас творится. Простите меня, господин эксперт, но после вашего появления в нашем доме начались все эти странные события. Я не хотел вам этого говорить, но сегодня с огромным трудом удалось вытащить мою жену. Я абсолютно убежден, что она никого не убивала, но следователь и инспектор считают иначе. Судья назначил залог в двести тысяч евро, и мне пришлось перевести все наши деньги, которые были на наших счетах, чтобы освободить Анну.

— Я это знаю.

— И вы знаете, что кто-то ее намеренно подставил, — продолжал Герман. — Сейчас здесь нет посторонних. В гостиной сидят моя жена, ее сестра, наша дочь, моя сестра и ее муж. И еще на кухне работает Калерия Яковлевна. Извините меня, господин эксперт, но вы единственный чужой в нашей компании. Я не знаю, когда все это закончится, но я хочу вам сказать, что будет лучше, если вы тоже покинете наш дом тотчас, как завершится следствие. Так будет лучше для всех.

— Думаю, что вы правы, — согласился Дронго, — и мне действительно лучше покинуть этот дом. Но перед тем как я отсюда уеду, я хотел бы помочь вам...

— Спасибо, не нужно, — мрачно сказал Герман. — Вы сами видите, в каком мы положении.

— Мне необходимо переговорить с вашей тетей, — произнес Дронго. — Осознайте, что это очень важно. Я понимаю ваше беспокойство и готов покинуть ваш дом, чтобы не смущать вас своим присутствием. Но перед этим я должен переговорить с ней.

Герман задумчиво смотрел на сыщика.

— В любом случае сегодня будет последний день, когда вы меня здесь видите, — пообещал Дронго, — но дайте мне хотя бы шанс помочь вашей семье. Сейчас я говорю конкрстно о вашей супруге.

— Хорошо, — согласился Герман после некоторого колебания, — поедем туда вместе. Я разрешу вам поговорить с ней. Двадцать минут, не больше. А потом вы оттуда уедете. Договорились?

— Да, — кивнул Дронго. — Двадцать минут мне вполне хватит.

Они вернулись в гостиную. Все смотрели на них.

— Сейчас нас будут допрашивать, — раздраженно напомнила Мадлен. — Может, ты хотя бы иногда будешь вспоминать, что теперь остался главой нашей семьи и тебе не обязательно бегать в коридор, чтобы поговорить с этим странным человеком?

— Что ты хочешь сказать? — спросила Эмма дрогнувшим голосом.

— Я хочу сказать, что после его появления в нашем доме у нас начались несчастья и неприятности, — нервно заявила Мадлен. — Жаль, что ты не понимаешь, какой трагедией для нас стала смерть нашей мамы и как нам неприятно было видеть смерть Леси. Может, хватит экспериментов? Мы все здесь родные люди, даже ты, Эмма, а он чужой. И пусть он уйдет отсюда. Я не говорю, что он убийца, но ему лучше уйти.

— Правильно, — поддержал супругу Берндт. — Давайте наконец закончим все эти непонятные эксперименты.

— Мы сейчас уезжаем, — объявил Герман. — Поедем навестить тетю Сюзанну. Господин эксперт пообещал мне, что сегодня навсегда покинет наш дом.

Эмма хотела что-то сказать или возразить, но Анна схватила ее за руку, и она промолчала.

— Скоро приедет Арнольд, — проговорил Герман, прощаясь. — Пусть он остается с нами. Ему тоже пришлось нелегко.

Все молчали. Через несколько минут Герман и Дронго вышли из гостиной. Усевшись в автомобиль Германа, они поехали в клинику. Им пришлось двадцать минут оформлять документы и пропуска, чтобы наконец попасть к Сюзанне, находившейся в отдельной палате. Когда они вошли, она подняла голову и радостно крикнула:

— Герман, здравствуй. Где вы пропадали? Я уже давно вас не видела.

— Нас несколько дней здесь не было, — пояснил Герман, — но ты не волнуйся, тетя Сюзанна. Теперь мы все время будем вместе. Всегда будем вместе.

— Очень хорошо, — улыбнулась Сюзанна. Она была в сером халате, который был раскрыт, и виднелась надетая на ней теплая байковая рубашка. Седые волосы были тщательно расчесаны. Здесь приучали следить за своим внешним видом.

— Я хотел тебя познакомить с нашим другом, — сообщил Герман. — Это господин Дронго.

— Мне его уже представляли, — неожиданно произнесла Сюзанна. — Он эксперт, который присхал к нам вместе с Эммой. Я правильно говорю?

— Все правильно, — удивленно сказал Герман. — Я хочу оставить вас одних на несколько минут, чтобы ты с ним побеседовала. Только ты ничего не бойся.

— А я не боюсь. Эмма сказала, что он хороший человек.

— Да. Он хороший человек. Вы немного поговорите, и потом я вернусь.

— Мы уедем домой? — спросила Сюзанна.

— Наверно.

Она радостно улыбнулась. Герман взглянул на Дронго.

— Двадцать минут, и ни одной минутой больше, — строго произнес он, выходя из палаты.

Дронго взял стул и сел рядом с кроватью.

— Простите, что я вас беспокою, — начал он, — мне не хотелось лишний раз тревожить вас по пустякам.

— Ничего, — улыбнулась Сюзанна, — здесь у меня много времени.

— Я хотел поговорить с вами о юбилее вашей сестры, — произнес Дронго.

— У нее разве был юбилей? — удивилась Сюзанна.

— Два дня назад ей исполнилось шестьдесят пять лет, — напомнил Дронго.

— Правильно, — снова обрадовалась женщина. — Мы все готовились к ее юбилею. Как она сейчас себя чувствует?

— Неплохо. Вы помните, как вы готовились к юбилею?

— Конечно, помню. Жена Германа даже хотела заказать нам специальное угощение в русском ресторане. Я так давно не была в русском ресторане.

— Вы хорошо говорите по-русски.

— Конечно. Мы ведь русские немцы. Нас так и называли — «русские немцы». Немного смешно.

— Вы помните, как проходил юбилей?

— А разве юбилей у Марты уже был?

— Был. Мы все собрались вместе, и вы еще хотели выпить немного больше белого немецкого вина.

— Помню, — обрадовалась Сюзанна, — я хотела попробовать белое вино, а Марта мне не разрешала. — Да-да, правильно. Там было такое вкусное шампанское и вино. В следующий раз я снова попрошу мне налить.

— Вам налили вино, и вы его попробовали.

— Попробовала. Но мне всегда дают мало. Марта следит, чтобы мне ничего не наливали.

— Она беспокоится за вас. Вы помните, как вам налили белое вино?

— Разве мне его налили? — удивленно переспросила Сюзанна.

— Да, вы выпили это вино. Но потом, в самом конце праздника, всем разлили шампанское. Вы помните, как вам налили шампанское?

— Мне не налили, — вспомнила Сюзанна. — Они сказали, что мне нельзя много пить. И этот смешной высокий мужчина с таким странным именем...

— Арнольд, — подсказал Дронго.

— Правильно, — обрадовалась Сюзанна, — это был Арнольд. Очень милый молодой человек. Но он все равно налил нам шампанское. А потом потушили свет. Нет, не так. Сначала потушили свет, а потом я решила выпить шампанского. Этот высокий мужчина подошел и налил шампанское Марте. А мне почти ничего не налил.

— Он был не прав, — убежденным тоном произнес Дронго.

— Конечно, не прав, — снова оживилась Сюзанна. — Я увидела, что он налил Марте больше всех, а мне немного, совсем чуть-чуть. И мне это совсем не понравилось. Некоторые думают, что я ничего не замечаю, но я все вижу и все замечаю. Только Марта уже давно не разрешает мне ничего пить. Только по праздникам.

— Но вы увидели, что этот высокий мужчина налил большую часть шампанского вашей сестре и почти не оставил его для вас.

— Правильно, — согласилась Сюзанна. — Я подумала, что это просто нечестно. Поэтому подвинула им свой бокал, а сама взяла бокал Марты. Хотя там тоже было совсем немного.

— Вы выпили бокал шампанского Марты, а ей оставили свой, — громко повторил Дронго. — Все было именно так?

— Да, — кивнула Сюзанна. — Я взяла ее бокал и оставила ей свой. Шампанское было очень вкусным.

— Не сомневаюсь, — согласился Дронго, — мне оно тоже понравилось.

— Только Марте не понравилась ее участь. Ведь она была вынуждена выпить мой бокал.

— Где было так мало шампанского, — закончил Дронго за свою собеседницу.

— Правильно, — снова обрадовалась Сюзанна. — Теперь они знают, что я могу спокойно пить вместе с ними.

— Вы не обратили внимание, кто бросил вам в бокал специальный порошок, чтобы улучшить качество шампанского?

— Да, я помню, — кивнула Сюзанна. — Она бросила порошок в мое шампанское, но я отдала свой бокал Марте, а сама взяла ее. Мне не нужен был такой напиток, и я взяла бокал Марты.

— Кто бросил в бокал порошок? Вы можете сказать?

— Они его положили, чтобы улучшить вкус, — в который раз улыбнулась Сюзанна.

— Кто положил? — воскликнул Дронго. — Назовите несколько фамилий. Кто положил этот порошок?

— Я не помню, — счастливо улыбнулась Сюзанна, — Но я взяла бокал Марты и сама все выпила. Она иногда меня балует.

— Вы видели, кто в темноте подошел к вашему бокалу? — не унимался Дронго.

— В темноте к нам подошел Герман, — вспомнила Сюзанна. — Да, он принес торт и предложил матери задуть свечи. Но она отказалась, и я сама пошла задувать свечи. Это было нелегко — не дышать так долго. Все время тушить свечи. Но я их потушила.

— Кто бросил порошок? — уже начиная нервничать, повысил голос Дронго.

— Я сама взяла бокал Марты и выпила его, — радостно улыбнулась Сюзанна. — Там было много шампанского. А мне налили очень мало. И я сказала, что ты насыпала мало порошка. Но меня не захотели слушать.

— Кому вы сказали? — Дронго даже привстал и наклонился к Сюзанне.

И услышал ответ. Она четко произнесла:

— Это была Эмма. Ваша Эмма, которая бросила в бокал порошок. Или не она, я точно не помню. Хотя это была Эмма. Моя племянница.

— Вы уверены, что это была Эмма? — уточнил Дронго.

— Я теперь ни в чем не уверена, — призналась Сюзанна. — Вы не знаете, почему меня здесь держат?

— Они хотят вас вылечить.

— А разве меня нужно лечить? Я говорила врачам, что хорошо себя чувствую. Мне нужно домой, в свою комнату. Вы знаете, что Марта выделила мне большую комнату в нашем доме? Целую комнату для меня одной. И у меня стоит еще такой небольшой телевизор. А почему вы все время говорите со мной по-русски? Обычно со мной разговаривают по-немецки. А может, немецкий уже отменили, как вы считаете?

— Нет, не отменили, — устало сказал Дронго. Он понимал, что услышанное от Сюзанны не может быть ни доказательством, ни конкретным подтверждением чьей-то вины. Но, с другой стороны, теперь многие аспекты этого двойного убийства стали более четко прорисовываться. Оставалось продумать некоторые детали, но самое главное он уже знал.

— Я сейчас пойду и позову Германа, — сказал он, поднимаясь со стула.

— Не нужно его звать, — хитро улыбнулась Сюзанна. — Они все думают, что я немного не в себе, и поэтому хотят держать меня в этой больнице. А на самом деле я абсолютно здорова и вообще не понимаю, почему я должна все время здесь оставаться.

— Может, они желают, чтобы вы окончательно выздоровели?

— А я совсем не больная, — мягко сказала Сюзанна, — просто иногда забываю какие-то вещи. Они, наверно, не так важны, и я их забываю. Но Марта меня все время ругает и говорит, что я без нее пропаду. А почему я должна пропасть? Посмотрите, у нас есть большой хороший дом, и мне завещали много денег. Я смогу даже жить одна. Но я не хочу жить одна. Я хочу жить с Мартой, а она уже давно ко мне не приходит. Вы не знаете, почему ко мне не приходит Марта?

— Я обязательно узнаю, — лицемерно пообещал Дронго.

Сюзанна неожиданно посмотрела на него и погрозила пальцем.

— Вы такой же лжец, как и они все. Я ведь знаю точно, что Марта никогда больше у меня не появится, но меня еще долго будут обманывать и говорить, что она придет ко мне. А я знаю, что она больше никогда ко мне не приедет.

Дронго молчал, потрясенный ее словами. Что происходило в голове этой несчастной, если она понимает практически все, что происходит вокруг нее, но в искаженном воде? Он молча повернулся и пошел к выходу.

— Господин эксперт, — услышал он за своей спиной голос и быстро обернулся.

— Что?

— Вы забыли попрощаться, — ласково напомнила женщина.

— Да, действительно. Извините меня за такое поведение. До свидания, фрейлейн Сюзанна. До свидания.

— До свидания, господин эксперт, — улыбнулась она напоследок.

Глава 19

Выйдя из палаты, Дронго увидел направляющегося к нему Германа.

— Я уже закончил, — сказал эксперт. Он был задумчив и молчалив. Было заметно, как сильно на него подействовал этот разговор с младшей сестрой Марты.

— Сейчас я с ней переговорю, и мы поедем, — решил Герман.

Дронго в знак согласия кивнул. Он начал мерить шагами коридор, вспоминая схему, которую начертил. Там было указано место каждого и путь, проделанный каждым из возможных убийц.

Через несколько минут вышел Герман, и они поехали обратно домой.

— Что она вам сказала? — поинтересовался Герман.

— Она не хочет больше здесь оставаться, — ответил Дронго.

— Это зависит не только от меня, но и от врачей, — сообщил Герман. — Я был бы только «за», но кто за ней станет смотреть? Без Марты это очень тяжело. Нужно все продумать. Тем более Калерия Яковлевна уже объявила, что собирается уходить. С годами ей становится труднее работать. И я ее понимаю.

Дронго молчал. Он помнил о признании Сюзанны, которая сообщила, что порошок в бокал самой Сюзанны бросила именно Эмма. Значит, это она решила таким необычным способом помочь сестре убрать ее свекровь, сделать сестру очень богатым человеком и навсегда убрать из ее жизни соперницу. Все совпадало, но на душе у него было неспокойно.

Они приехали в дом, когда там работали две бригады следователей, которые допрашивали всех находившихся в доме людей. Сам Дронго был освобожден от подобного допроса и поэтому отправился в пыльную библиотеку, чтобы снова рассмотреть корешки находившихся там фолиантов. Неожиданно он услышал за своей спиной осторожные шаги. Дронго обернулся. Это была Эмма. Сегодня она была в легком брючном костюме персикового цвета. Молодая женщина подошла к нему:

— Смотрите книги?

— Да. Ужасно интересно. Здесь попадаются книги не только на немецком, но и на английском, французском, испанском. Судя по всему, хозяин дома был образованным человеком. Так интересно — когда видишь сокровищницу человеческой мысли, собранную под одной крышей.

— Вы приехали оттуда каким-то другим, — неожиданно произнесла Эмма. — Что случилось? Вы можете мне сказать?

— Только вам и могу, — вздохнул Дронго. — Я разговаривал с тетей Сюзанной, или, как ее называют сами немцы, «фрейлейн Сюзанной». И она рассказала мне, что помнит о юбилее своей сестры и может рассказать о том, как они его праздновали.

— Вот и прекрасно. Если бы она еще вспомнила, кто именно отравил бокал Марты, то было бы совсем хорошо, — сказала Эмма.

— Она вспомнила, — негромко произнес Дронго, — хотя и с некоторыми трудностями.

— Представляю, как она вас мучила. Неужели она назвала вам имя убийцы?

— Она сказала, что помнит, кто именно бросил этот порошок, — угрюмо сказал Дронго. —

Но дело в том, что порошок насыпали не в бокал Марты, а в бокал самой Сюзанны. И она, увидев, что ей налили мало шампанского да еще положили какой-то белый порошок, поменяла бокалы, взяв себе бокал своей старшей сестры.

— Подождите, — перебила ошеломленная Эмма, — тогда получается, что хотели убить не Марту, а именно Сюзанну. Но из-за того, что сама Сюзанна все напутала, погибла не она, а ее старшая сестра. Я вас правильно поняла?

— Да, почти так.

— В таком случае скажите, кто это был?

— Она назвала мне имя.

— Чье? — требовательно переспросила Эмма.

— Она назвала мне ваше имя, — признался Дронго.

У Эммы сузились глаза. Она даже отступила на шаг назад. Затем взглянула на Дронго и изменившимся голосом осведомилась:

— Вы сошли с ума вместе с ней? Как вы можете верить сумасшедшей женщине? И не доверять своим глазам?

— Она назвала мне ваше имя, — упрямо повторил Дронго, — и не нужно так бурно реагировать. Я ей все равно не поверил.

— Спасибо. Но ей наверняка поверят следователь, сотрудники полиции, потом прокурор.

И переключатся с моей сестры на меня. Это вы так своеобразно просчитали, что уже все закончено и теперь вместо Анны можно подставить и меня?

Эксперт молчал.

— Отвечайте! — потребовала Эмма. — Неужели вы не понимаете, что она давно потеряла всякие представления о реальности. И даже не совсем понимает, что именно вам говорит.

— Возможно, вы правы. Но иногда в ее речи проскальзывает здравый смысл.

— Что вы теперь будете делать? Собираетесь меня сдать?

— Нет. Разумеется, нет. Я собираюсь найти настоящего убийцу.

— Вы уже слышали, что это я. Тем более что вы знали, насколько непримиримо и ожесточенно мы спорили с погибшей. И вполне могли сделать соответствующие выводы.

— Перестаньте, — попросил Дронго, — я делаю выводы тогда, когда уверен в них на все сто процентов. А пока я не знаю, что именно там случилось, я не беру на себя смелость кого бы то ни было осуждать.

— Тогда зачем вы туда поехали?

— Чтобы найти возможного убийцу.

— Нашли?

— Почти нашел.

— Тогда скажите, кто именно отравил шампанское в бокале Марты? — попросила Эмма.

— Вы упрямо не хотите меня слушать и слышать, — укоризненно произнес Дронго. — Дело в том, что никто не собирался травить хозяйку дома, и именно это обстоятельство выбило меня из колеи. Мы рассматривали все преступления через призму сведения счетов с этой женщиной, тогда как на самом деле все было абсолютно иначе. Убить хотели не Марту, а Сюзанну. И это меняет всю конфигурацию наших розысков и делает возможным раскрытие этих преступлений.

— Простите, — сказала Эмма, — вы говорите слишком загадочно и непонятно. Давайте подведем хотя бы предварительные итоги нашей беседы.

— Сначала я должен подготовиться к нашему разговору и уже затем выдать вам информацию о том, как совершались эти преступления, каковы были планы убийцы и что именно происходило в гостиной этого дома в последние два дня.

— Когда вы расскажете об этом? — поинтересовалась Эмма.

— Через сорок пять минут. Максимум через час. Повторяю, мне нужно подготовиться.

— Готовьтесь, — согласилась Эмма. — Только я хочу вам предложить подняться со мной в комнату Сюзанны.

— У вас есть ключи от ее комнаты? — нахмурился Дронго.

— Нет. Конечно, нет. У меня и не могло быть ключей. Но они случайно оказались у моей старшей сестры, которой дал их Герман. Ведь именно он повез тетю Сюзанну в клинику на обследование. Поэтому ключи тоже были у нее, и их передали Герману. Вы нарочно задаете мне много вопросов, чтобы не ответить на мое предложение?

— Нет, не нарочно. — Дронго смотрел в глаза Эммы. — Я обязан завершить расследование и только потому могу позволить себе подняться с вами в эту комнату. А еще лучше нам там не появляться. Будет гораздо более правильно, если мы встретимся с вами где-нибудь в другом месте.

— Когда-нибудь и где-нибудь, — криво усмехнулась Эмма. — Вы действительно считаете меня такой дурочкой или это мне кажется?

— Вы прекрасно знаете, как я к вам отношусь, — возразил Дронго. — Но пока не закончу свое расследование по двойному убийству в доме, принадлежащем семье Крегер, я не имею никакого морального права принимать подобные предложения.

— Вы слишком щепетильны, — усмехнулась Эмма. — Для мужчины это, наверно, не самое лучшее качество.

— Не меняются только дураки и покойники, — вспомнил Дронго, — так считал Лоуэлл, известный американский критик. Эти слова часто цитируют во многих изданиях. Но никто не вспоминает его следующую фразу: «И немногие порядочные люди, которых с каждым днем становится все меньше и меньше». Очень хочется попасть в число порядочных людей. А становиться дураком или покойником просто глупо.

— Хорошо, я не буду вам мешать готовиться к подготовке плана разоблачения убийцы, — сказала Эмма и, не говоря больше ни слова, повернулась и вышла из библиотеки.

Дронго наклонился, всматриваясь в пол. Так он искал что-то на полу минут двадцать. Наконец нашел и удовлетворенно кивнул, поднимая блестки от материала. Только после этого вышел из библиотеки, решив найти инспектора Нерлингера или следователя Менцеля.

Следователя он нигде не смог найти. Тот, очевидно, выехал в управление. А вот Нерлингера он нашел и с помощью переводчика сумел объясниться с инспектором. Нерлингер недоверчиво выслушал предложение эксперта и предупредил, что снимает с себя всякую ответственность за предстоящий исход операции. После чего согласился помочь Дронго.

Ровно через час все участники печальных событий собрались наконец в гостиной, чтобы выслушать Дронго. Здесь были Берндт и Мадлен, сидевшие рядом. Здесь были Герман и Анна, стулья которых находились на приличном расстоянии друг от друга. Здесь была Эмма, недоверчиво смотревшая на Дронго и ожидавшая развязки этой кровавой истории. Здесь был Арнольд Пастушенко, который уже ничего не понимал в происходившем, но интуитивно чувствовал, что сейчас здесь произойдет нечто очень важное. Сюда приехал следователь Менцель, которому Нерлингер рассказал о предложении эксперта. Здесь устроился сам инспектор, который привез переводчика, чтобы сразу быть в курсе того, что станет говорить Дронго. Сюда позвали даже Калерию Яковлевну, которая сидела ближе к кухне и явно волновалась, поглядывая по сторонам. Единственной, кого здесь не было, — это маленькой Евы, психику которой было решено поберечь и не приглашать для тяжелого разговора в гостиную. Все ждали появления Дронго. Он вошел в двери, вежливо поздоровался и прошел к середине комнаты, встав рядом со столом, у того места, где несколько дней назад сидела хозяйка дома.

— Должен сказать, что мы действительно случайно встретились с фрау Эммой Вихерт в Баден-Бадене, — начал свой рассказ Дронго. — И она сумела вспомнить, что больше десяти лет назад, когда была еще студенткой местного вуза, она встретила меня во время расследования одного из дел, связанных с приездом курьеров из Багдада. Тогда только начинались события в Ираке, куда вторгались американские войска. Но это были дела давно минувших дней.

Эмма чувствовала напряжение, которое царило в последние дни в семье ее старшей сестры и вообще в их семьях. Не забывайте, что сама фрау Вихер уже подала на развод и теперь не хотела даже, чтобы ее называли по фамилии мужа. Эмма пригласила меня в Берлин, куда я должен был все равно приехать для деловых встреч. Уже с первых минут моего появления в этом доме я обнаружил крайние противоречия, которые царили здесь на протяжении довольно длительного времени. Было понятно, что подобные отношения могли закончиться очень печально, что, в общем, и произошло. Однако в случившихся убийствах был свой существенный нюанс, который при расследовании этих преступлений сбивал с толку не только меня, но и самого герра следователя, который полагал данное убийство простым и примитивным.

Менцель нахмурился, но не стал возражать. Дронго продолжал:

— Все разговоры о том, что это могли быть непримиримые противоречия между родственниками, когда тяжелый характер погибшей Марты довлел над всем остальным, оказались несостоятельными, — сообщил Дронго. — К счастью, в наше время уже не убивают из-за законов чести, мести, из-за ревности и даже любви. И уж тем более не убивают из-за несовместимости характеров.

— Это мы понимаем, — не выдержал Берндт. — Может, вы, наконец, перейдете к главной теме вашего выступления?

— Обязательно перейду, — согласился Дронго. — Итак, за день до юбилея хозяйки дома здесь появляются ее зять и ее дочь, которые внимательно осматривают весь дом. К этому времени предприимчивый банкир уже знает, что цена дома может достигать четырехсот тысяч евро, а в библиотеке хранятся ценные фолианты, которые тоже можно продать.

— Какая глупость! — громко сказала Мадлен. — Мы даже не были в этой библиотеке.

— Позвольте вам возразить, — произнес Дронго, — примерно час назад в результате тщательного осмотра библиотеки я нашел на полу блестки от вашего синего костюма, фрау Мадлен. А это значит, что вы успели побывать со своим мужем и в библиотеке.

— Возможно, мы там были, — согласился Берндт, — хотя лично я не вижу в этом ничего криминального. В конце концов, моя жена — прямая наследница хозяйки дома и ее сестры. Поэтому мы хотели разобраться в стоимости имущества и остающейся недвижимости.

— Не сомневаюсь, что намерения у вас были самые благие, — кивнул Дронго. — Однако после тщательного осмотра помещения и получения сведений по другим каналам, когда вы узнали о том, что тетя Сюзанна получила около девяти миллионов евро наследства, а опекуном будет назначена ее старшая сестра, у вас возник план реального получения всех денег, которые можно было переоформить на себя.

Мадлен нахмурилась. Берндт покачал головой:

— Чушь! Все равно все эти деньги достались бы нам. Рано или поздно.

— Могло быть поздно, — парировал Дронго. — Итак, ваша супруга решила, что ждать больше просто не имеет смысла, и поэтому она сама приняла такое решение. Все знали, что младшая сестра Марты давно болеет и плохо себя чувствует. Если бы ее хватил инфаркт во время празднования юбилея или инсульт, то никто бы не стал даже выискивать причину смерти, настаивая на вскрытии, настолько ожидаемым и естественным был бы этот факт. Однако все испортила сама Сюзанна. Но давайте по порядку... Я начертил схему, кто и где находился в тот момент, когда Герман потушил свет и Калерия Яковлевна вкатила тележку с тортом, появившись рядом с хозяйкой дома слева от нее. Таким образом, путь слева был блокирован тележкой с тортом, самой Калерией Яковлевной и стоявшим у выключателя Германом. Значит, пройти отсюда не было никакой возможности. А вот с правой стороны к столику Марты могли подойти либо кто-то из семейной пары Берндт — Мадлен, либо из семьи Пастушенко. Когда я разговаривал сегодня с тетей Сюзанной, я спросил ее, кто мог положить специальные лекарства в ее бокал. Она сразу ответила, что это могла быть Эмма. Однако я помнил, что Герман в разговоре с ней напомнил о том, что именно Эмма привела меня сюда, познакомив с остальными. И подсознательно Сюзанна ответила мне, что лекарство в ее бокал положила

Эмма. А ведь я сказал, что Эмма не могла пройти к столу, так как с этой стороны он был блокирован принесенным тортом и стоявшими людьми. Значит, она должна была подняться, обойти стол и меня и подойти к бокалам с другой стороны. Но она этого не сделала, ведь она сидела рядом со мной, и я бы сразу это почувствовал. Однако Сюзанна в разговоре со мной выдала ключевую фразу. Она сказала, что это была Эмма, и добавила — моя племянница. А ее племянницей в гостиной была только Мадлен, которая сидела рядом с ней и которая могла, не вставая, бросить яд в бокал Сюзанны. Но самое поразительное, что Сюзанна могла и не увидеть, кто именно бросает ей лекарство и для чего это делает. Она просто обратила внимание, что обходивший стол Арнольд налил ей совсем немного шампанского, тогда как в бокале ее сестры шампанского было много. Если вы сейчас сосредоточитесь, то вспомните, как Марта сделала замечание Арнольду, отметив, что в ее бокале почти нет шампанского. Сейчас нам становится понятным, что это был не ее бокал. После того как она отодвинула в свою сторону все бокалы, они перемешались, и Сюзанна взяла ее бокал, а Марта взяла бокал, предназначенный для ее сестры. Марта выпила шампанское с ядом и начала терять сознание. Вспомните, как убивалась Мадлен, которая все время повторяла слова «бедная мама». Очевидно, что речь шла не о состоянии ее финансовых счетов, а о несчастном случае, который так потряс ее дочь, повергнув Мадлен в настоящий шок.

Берндт быстро взглянул на свою жену, но не стал ничего переспрашивать. Герман помрачнел. Эмма впервые перестала хмуриться.

— Интересная теория, но без доказательств, — сказал Арнольд.

— На бокале, из которого пила погибшая, были отпечатки пальцев ее младшей сестры Сюзанны, — напомнил Дронго. — А это и есть решающее доказательство. Однако пойдем дальше. Мадлен явно не рассчитывала на подобный исход дела. А когда она узнала, что мать сама перепутала бокалы и на ее бокале были отпечатки пальцев сестры, то вообще начала паниковать. И единственной возможностью замести следы была организация второго убийства с выходом на конкретного исполнителя.

Услышав эти слова, Арнольд шумно вздохнул. Он не смотрел в сторону Мадлен. Слушая Дронго, он глядел прямо перед собой. Пастушенко уже начал догадываться, о чем именно расскажет Дронго, и поэтому сидел, словно оцепеневший. Дронго продолжал говорить:

— Мадлен понимала, что следователи в любой момент могут начать задавать очень неприятные вопросы о возможных наследниках «ограниченно дееспособной» Сюзанны, получившей огромное наследство, которого могла быть лишена Мадлен. И тогда она решила совершить новое убийство. Из комнаты Анны была похищена чашка, на которой оставались ее отпечатки пальцев. Мадлен повторяла конфигурацию первого убийства, но теперь с явной подставой своей невестки. Таким образом, осуществлялись сразу две задачи — устранялся опасный конкурент, и у самой Мадлен появлялось абсолютное алиби. Нужно было еще подбросить немного оставшегося яда в комнату Анны, что и было сделано. А затем, пользуясь моментом, всыпать яд в чашку Леси Пастушенко и бросить подозрение на Анну: ведь все присутствующие знали о том, что Ева была на самом деле дочерью Арнольда Пастушенко, а не мужа Анны.

— Это моя дочь, — громко возразил Герман. — Она носит мою фамилию и называет меня папой.

— Подобное заявление делает вам честь, Герман, — поклонился Дронго, — но ваша сестра придумала этот иезуитский план, чтобы вывести из игры вашу супругу и избавиться от опасного конкурента в борьбе за наследство вашей тети.

Герман взглянул на сестру. Она прикусила губу и молча выдержала его взгляд, не комментируя слова эксперта. Но вместо нее в разговор вмешался Берндт:

— Это все домыслы, построенные на ничем не проверенных фактах. Как вы можете доказать, что порошок с ядом подбросила в комнату Анны именно моя жена?

— Вот заключение экспертизы, — ответил Дронго, доставая лист бумаги. — На синем платье вашей супруги есть следы этого порошка. Очевидно, она была слишком неосторожна, когда второпях насыпала яд в пустую чашку Анны и в чашку Леси.

Наступило долгое молчание. Берндт повернулся и ошеломленно взглянул на жену.

— Да, да, да! — закричала Мадлен. — Это была именно я. И это мое платье. А ты хотел, чтобы все эти деньги достались моему мягкотелому брату, который воспитывает чужого ребенка? Или его жене, умудрившейся родить девочку, находясь в законном браке с моим братом? Или этой девочке, которая не имеет к нам абсолютно никакого отношения, что бы там ни говорил Герман? Да, я сделала все, чтобы отнять у них это наследство и передать его своим детям. Что плохого ты в этом видишь?

Берндт огорченно молчал. Он уже понимал, какие последствия сулит подобный скандал. Из-за него он уже никогда не поедет в Россию в качестве генерального представителя своего банка.

Менцель поднялся и подошел к Мадлен:

— Очень сожалею, фрау Ширмер, но я вынужден буду предъявить вам обвинения сразу в двух предумышленных убийствах.

— Ничего подобного, — возразил Берндт. — В первом случае это был просто несчастный случай.

— Думаю, что мы будем обсуждать этот вопрос уже с вашим адвокатом, — ответил следователь.

Эпилог

На следующий день Эмма приехала к Дронго в отель, когда он уже собрал свои вещи, готовясь уехать. Они встретились в холле отеля. Молодая женщина находилась в состоянии мрачной меланхолии: вчерашняя разоблачительная речь Дронго, с одной стороны, ее потрясла, а с другой — повергла в состояние ужасной депрессии. Она неожиданно осознала, что оба убийства были замыслены и исполнены для получения наследства тети Сюзанны. Может, поэтому, приехав проститься с Дронго, она была в таком мрачном настроении.

— Вы уезжаете? — печально спросила Эмма.

— Да. Через двадцать минут такси отвезет меня на Центральный вокзал, — сообщил Дронго. — Сейчас сюда принесут мой чемодан.

— Я так и подумала, — вздохнула молодая женщина. — Где вы были сегодня вечером? Я звонила до полуночи на ваш мобильный и в отель.

— Отмечали завершение расследования с комиссаром Реннером, — признался Дронго.

— У вас тяжелая профессия, — убежденно произнесла Эмма. — Вам приходится быть таким безжалостным и недобрым.

— Врач, который лечит больного, обязан прописывать ему горькие лекарства и болезненные уколы. Иначе невозможно выздороветь. А юристы — это врачи общества, — задумчиво сказал Дронго, — и мы пытаемся лечить болезни общества иногда слишком радикальными методами. Но других инструментов у нас просто нет.

— Что будет теперь с Мадлен?

— Не знаю. Это решит суд.

— Герман уже нашел ей лучшего адвоката в Германии, — сообщила Эмма.

— Правильно. Это же его сестра...

— ...которая хотела подставить его жену, — быстро закончила фразу Эмма.

— Плохое забывается скорее, — пожал плечами Дронго, — а он, как старший в семье, обязан помогать своей сестре. Тем более они так наказаны смертью матери — всю оставшуюся жизнь Мадлен будет об этом помнить. Нет такого наказания, которое было бы хуже этого.

— Как вы смогли так быстро провести экспертизу ее платья? — поинтересовалась Эмма. — И как оно попало к вам?

— У меня не было ни платья, ни ключей от ее комнаты, — признался Дронго. — Я просто помнил, в каком именно платье она была. И сыграл именно на этом. Я знал, что рано или поздно Мадлен не выдержит и сорвется. Был в этом уверен. Что и произошло. А следов на платье, возможно, и не было. Хотя блестки от платья я нашел на полу в библиотеке.

— Значит, вы еще и блефовали? — покачала головой Эмма.

— К этому моменту я уже был уверен в правильности своей версии. Мне нужно было, чтобы ее подтвердила сама Мадлен. Что она и сделала.

Эмма посмотрела на часы и неожиданно усмехнулась.

— Я бегала за вами несколько дней, а вы ловко уходили от меня. Оказывается, в эти дни вы бегали за другой женщиной, чтобы разоблачить убийцу.

Дронго улыбнулся. Взял руку Эммы и, наклонившись, поцеловал.

— Только не говорите, что мы останемся друзьями, — попросила молодая женщина, — ненавижу эти слова. Когда ничего не получается между мужчиной и женщиной, обычно говорят, что мы останемся друзьями.

— Тогда останемся просто хорошими знакомыми, — предложил Дронго. — В конце концов, не забывайте, что у нас уже больше десяти лет стажа нашего знакомства. Согласитесь, что это впечатляет.

Оглавление

Литературно-художественное издание

МАСТЕР КРИМИНАЛЬНЫХ ТАЙН

Абдуллаев Чингиз Акифович

СЕМЕЙНЫЕ ТАЙНЫ

Ответственный редактор *А. Дышев*
Редактор *А. Чернов*
Художественный редактор *А. Сауков*
Технический редактор *Г. Романова*
Компьютерная верстка *А. Пучкова*
Корректор *Е. Дмитриева*

Иллюстрация на переплете *В. Коробейникова*

ООО «Издательство «Эксмо»
127299, Москва, ул. Клары Цеткин, д. 18/5. Тел. 411-68-86, 956-39-21.
Home page: **www.eksmo.ru**   E-mail: **info@eksmo.ru**

Подписано в печать 01.10.2012.
Формат 84×108 1/32. Гарнитура «Петербург».
Печать офсетная. Усл. печ. л. 16,8.
Тираж 6000 экз. Заказ № 7570

Отпечатано с готовых файлов заказчика
в ОАО «Первая Образцовая типография»,
филиал «УЛЬЯНОВСКИЙ ДОМ ПЕЧАТИ»
432980, г. Ульяновск, ул. Гончарова, 14

ISBN 978-5-699-59908-0

9 785699 599080 >